WINDOWS 7

TIPS EN TECHNIEKEN

Gerard Nijssen

PEARSON
Addison
Wesley

ISBN: 978-90-430-1918-7
NUR: 985
Trefwoorden: *Windows 7, computergebruik*

Eerste druk, oktober 2009
Tweede druk, maart 2010

Dit is een uitgave van Pearson Education Benelux BV
Postbus 75598, 1070 AN Amsterdam
Website: www.pearsoneducation.nl
E-mail: amsterdam@pearson.com

Vormgeving: Studio Pearson Education Benelux

Dit boek is gedrukt op een papiersoort die niet met
chloorhoudende chemicaliën is gebleekt. Hierdoor
is de productie van dit boek minder belastend voor
het milieu.

Inhoudsopgave

Voordat u begint

Voordat u begint is het goed om met een paar zaken rekening te houden.

Om te beginnen wordt er in dit boek uitgegaan van een schone installatie van het besturingssysteem. Wellicht hebt u Windows 7 al een tijdje en hebt u al wat instellingen gemaakt. Dan zou het kunnen dat dingen wat anders zijn dan hier beschreven.

Verder wordt er in de tekst vanuit gegaan dat u als beheerder (administrator) bent aangemeld. Als dat niet het geval is, kunt u niet alle instellingen maken.

Hier wordt er vanuit gegaan dat u Windows 7 hebt geïnstalleerd. Voor de tips en technieken is het ook belangrijk dat Windows in volle glorie actief is en dat uw hardware alle functies ondersteunt. Belangrijk, want als bijvoorbeeld de gebruikersinterface niet goed wordt uitgevoerd, werken bepaalde tips en technieken niet.

Net als in Windows Vista, is in Windows 7 Gebruikersaccountbeheer actief. Dat zorgt ervoor dat bij het maken van bepaalde instellingen of bij het installeren van bepaalde software om beveiligingsredenen om een bevestiging wordt gevraagd. Als u eventueel moet bevestigen, is dat niet aangegeven. Kortom, er is gedaan alsof Gebruikersaccountbeheer niet actief is. Dat maakt verder niets uit voor de beschreven handelingen, maar het is wel iets om op te letten.

Ondanks dat Windows 7 nieuw is en veel beter aanvoelt dan Vista, is het goed om te weten dat Windows 7 ook veel parallellen vertoont met Vista (vooral met betrekking tot de instellingen). Hoewel in dit boek de meeste nadruk ligt op de nieuwe mogelijkheden van Windows 7, worden er onderdelen behandeld die ook terug te vinden zijn in Vista (soms verkapt, soms direct).

Inleiding

Er is lang naar uitgezien en al tijdens de ontwikkeling was het veelgeprezen: Windows 7, de opvolger van Windows Vista. XP deed het goed, Vista een stuk minder. Windows 7 moet de kloof dichten en het weer aantrekkelijk maken om over te schakelen naar een nieuwe Windows-versie. En dat doet het. Niet alleen werkt Windows 7 beter en sneller dan zijn voorganger, het heeft ook een fors aantal nieuwe onderdelen.

In dit boek wordt een aantal belangrijke onderdelen besproken. Dat bespreken is anders gedaan dan anders. Het is niet gedaan in de traditionele boekvorm. U kent het wel: beginnen bij de inleiding, eindigen bij de conclusies. Tussendoor mag u niets missen, want dan bent u de verhaallijn kwijt. Nee, hier is ervoor gekozen om de nieuwe onderdelen in korte krachtige stukken tekst de revue te laten passeren. Tekst in een soort tipvorm zou je kunnen zeggen, alhoewel het woord tips weer niet helemaal op zijn plaats is. Het zijn meer dan tips: in

korte praktijkgerichte stukken tekst wordt het functioneren van Windows 7 behandeld. Basisfuncties, maar ook geavanceerde functies.

De tekst in dit boek is geschreven op basis van Windows 7 Ultimate. Het besturingssysteem is geïnstalleerd op een Sony Vaio-notebook. Het apparaat heeft een Intel Core 2 Duo-processor en 2 GB geheugen. Windows werkt als een zonnetje: beter dan Vista Home Premium dat er eerder op stond. Trouwens, mocht het zo zijn dat u zelf een andere versie hebt dan de Ultimate, geen nood. Dit boek is net zo goed voor u, de meeste onderdelen zijn niet afhankelijk van de versie.

Tot slot wil ik mijn vrouw Irma en de redactie van Pearson bedanken voor het doorlezen van het manuscript en het geven van constructief commentaar.

Rest mij u te wensen: veel leesplezier!

Gerard Nijsse, september 2009

DE GEBRUIKERSINTERFACE

Windows 7 is de troonopvolger van Vista. Vista is nooit een succes geworden door alle grote veranderingen ten opzichte van XP. Toch zijn het juist deze veranderingen die Windows 7 doen blinken. De nieuwe Windows-versie bouwt namelijk verder op de grafische motor van Vista. En Microsoft heeft dat goed gedaan kunnen we u verklappen. Windows 7 zal uw gebruikerservaring fors verbeteren. Het nieuwe besturingssysteem voelt veel prettiger aan dan Vista. Sterker nog, doordat Microsoft de verbeteringen beter heeft doorgevoerd dan in Vista, lijkt Windows 7 dichter bij XP te staan dan Vista ooit gestaan heeft. Het lijkt wel alsof de pret een generatie heeft overgeslagen. Leest u maar mee.

In dit eerste thema wordt de gebruikersinterface van Windows 7 behandeld: het menu Start, de taakbalk met het systeemvak, het werken met vensters en het bureaublad.

Menu Start

Na de start van Windows 7 en het aanmelden met uw gebruikersnaam treft u de gebruikersinterface: de taakbalk met de knop Start (het menu Start) en het bureaublad. Buiten wat grafische veranderingen, ziet het er allemaal redelijk vertrouwd uit. Leuk detail is dat als u met de muisaanwijzer boven de knop Start zweeft, deze mooi oplicht. Het menu Start is weinig veranderd ten opzichte van

Het bureaublad van Windows 7 met de taakbalk en linksonder de vertrouwde knop Start.

zijn voorganger Vista. De meeste programma's in het menu zullen u bekend voorkomen. U moet maar eens door de verschillende menu's scrollen.

Er zijn ook nieuwe onderdelen ondergebracht in het menu Start, zoals het Knipprogramma om delen uit het bureaublad te knippen waar u een schermafbeelding van wilt maken (zogenaamde Knipsels). Verder

Het menu Start in Windows 7.

zijn sommige programma's verbeterd ten opzichte van hun voorgangers. De Rekenmachine is onder handen genomen, Wordpad heeft een opknapbeurt gehad, Paint is vernieuwd en Windows Media Center heeft ook een update gehad, net als de Mediaspeler. Later in dit boek wordt op verschillende programmavernieuwingen ingegaan. Daar is dit hoofdstuk niet voor bedoeld. Veel grote veranderingen zult u op het eerste gezicht niet aantreffen in het menu Start. Daar kunt u gemakkelijk mee aan de slag.

De taakbalk

In Windows 7 is de functie van de taakbalk een soort combinatiefunctie van de oude taakbalk en het oude menu Start. Met de oude taakbalk kon u vensters openen en beheren en met het oude menu Start kon u programma's starten. Deze twee taken zijn gecombineerd in de taakbalk van Windows 7. Naast het openen en beheren van vensters, staat de nieuwe taakbalk u namelijk toe om programma's te starten. Aan de ene kant is dat handig en aan de andere kant wennen. Toch wilt u niet anders meer als u ermee hebt leren werken. Let wel, ondanks dat de taakbalk nu extra functies heeft, wil

De taakbalk van Windows 7.

dat natuurlijk niet zeggen dat het menu
Start in Windows 7 geen doel meer heeft.
Maar dat zal u duidelijk zijn.

Werkbalk Snel starten in vermomming

Links onderin op de taakbalk staan knoppen voor de Verkenner, de Internet Explorer
en de Mediaspeler. Deze knoppen doen
vermoeden dat het Snel startenknoppen
zijn, zoals u die kent uit XP, of Vista. Schijn
bedriegt, het zijn normale knoppen die zijn
vastgemaakt aan de taakbalk, zoals dat heet.
Ofwel, het programma waar de knop naar
verwijst is niet actief, maar de programmaknop is al wel op de taakbalk vastgezet. Als

u op een van deze knoppen klikt, wordt het
betreffende programma actief. De knop verandert dan van kleur en er komt een kader-
tje om de knop. Dat laatste is belangrijk om
te onthouden, want zo kunt u onderscheid
maken tussen actieve en niet-actieve programma's. Overigens, als een programma
meerdere keren actief is, verandert de vorm
van het kader opnieuw. Het lijkt dan of er
meerdere knoppen op elkaar liggen.

Knoppen los- en vastmaken aan de taakbalk

Mocht u een vastgemaakte knop niet handig
vinden, dan kunt u hem losmaken. Klik
met uw rechtermuisknop op de knop. Kies

*Van links naar rechts: de knop Start, de knop
Verkenner (programma één keer actief), de knop
Internet Explorer (programma twee keer actief of twee
tabbladen open) en de knop Mediaspeler (programma
niet actief). Duidelijk is te zien dat de kaders van de
knoppen anders zijn.*

Een knop losmaken van de taakbalk.

dan voor **Dit programma losmaken van de taakbalk**. Klaar, de knop zal van de taakbalk verdwijnen. Tenminste, als het betreffende programma niet actief is. U kunt een knop ook weer vastmaken door eerst het programma te starten waarvan u de knop wilt vastmaken. Er wordt dan – zoals u gewend bent – een knop op de taakbalk geplaatst. Vervolgens klikt u met uw rechtermuisknop op deze knop en kiest u voor **Dit programma vastmaken aan de taakbalk**.

Een programma nog een keer starten

Als u een vastgemaakte knop een keer hebt aangeklikt, kunt u er best een tweede keer op klikken, maar het programma zal niet nog eens worden gestart. Bijvoorbeeld, als u de Verkenner twee keer wilt starten, werkt het niet om de knop Verkenner twee keer aan te klikken. De tweede klik zal het Verkennervenster alleen maar minimaliseren. Onhandig, in xp en Vista werkte dat wel met de knoppen op de werkbalk Snel starten. Gelukkig kan het via een omweg ook in Windows 7. Houd de SHIFT-toets ingedrukt als u de knop nogmaals aanklikt. Het programma wordt dan nog een keer gestart. U kunt ook met uw middelste muisknop op de knop klikken, als u een muis met drie knoppen hebt (soms is het scroll-wiel ook een

verborgen muisknop die u kunt indrukken). Dat geeft hetzelfde effect als de SHIFT-toets vasthouden en met uw linkermuisknop klikken. Let op dat het niet altijd werkt om programma's meerdere keren te starten. Sommige programma's staan het niet toe om meerdere keren actief te zijn.

Liever de vertrouwde knoppen?

Knoppen op de taakbalk zijn in Windows 7 niet meer van tekstlabels voorzien. Bijvoorbeeld, als u de Mediaspeler hebt geopend, verschijnt de knop wel op de taakbalk, maar zonder de tekst Mediaspeler. Maar

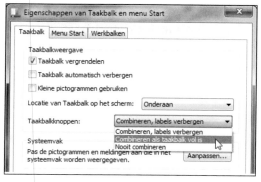

▲ *Knoppen op de taakbalk, maar nu met tekstlabel.*

▼ *De vertrouwde knoppen terug met tekstlabels.*

Het is best wennen, die nieuwe
taakbalk. Gelukkig heeft Windows 7
helpbestanden die u kunt raadplegen
voor als u er even niet uitkomt. Ga naar
Start > Help en Ondersteuning. Voer
bovenin het zoekvenster de tekst 'taakbalk' in en druk op enter. Daarna kunt
het gewenste onderwerp aanklikken.

De helpfunctie in Windows 7 is goed
te noemen. Zeker een aanrader om eens
te proberen. Natuurlijk kunt u Help en
ondersteuning ook voor andere problemen raadplegen dan alleen voor de
taakbalk. Zorg er wel voor dat u onder in
het venster Help en Ondersteuning **Offline Help** hebt geselecteerd. De Online
Help gaf – ten tijde van dit schrijven –
geen resultaten.

Raadpleeg de helpbestanden als u meer informatie zoekt.

die tekstlabels zijn juist wel handig. Mocht
u knoppen willen met tekstlabels, zoals
u die had in XP of Vista, klik dan met uw
rechtermuisknop op een lege plek op de
taakbalk en kies voor **Eigenschappen**. Het
Eigenschappenvenster zal openen. Selecteer
het tabblad **Taakbalk** en kies in het rolmenu
achter de tekst Taakbalkknoppen voor

Combineren als taakbalk vol is, of **Nooit
combineren** en klik op **Toepassen**. Sluit af
met een klik op **OK**. Als er nu een programma actief is, zult u een knop zien die een
tekstlabel heeft met de programmanaam.
Met Windows-toets+getal (bijvoorbeeld
Windows-toets+1), kunt u de verschillende
knoppen met het toetsenbord activeren.

Meer ruimte met gecombineerde knoppen

Als u voor de taakbalkknoppen gekozen
hebt voor de optie **Combineren als taakbalk**

Van links naar rechts: de knop Start, de knop Verkenner (niet actief, zonder tekstlabel), de knop Internet Explorer (actief, met tekstlabel).

vol is, dan worden de knoppen op de taakbalk gecombineerd in een enkele knop als de taakbalk vol is. Dat kan handig zijn om ruimte te creëren. Als u kiest voor **Nooit combineren**, dan worden de knoppen niet gecombineerd. Let op! Bij vastgemaakte knoppen komt geen tekstlabel. Pas als u ze aanklikt en het betreffende programma activeert, veranderen ze in knoppen met tekstlabel (mits u dat hebt aangegeven).

Knoppen slepen op de taakbalk
In oudere versies van Windows is de volgorde van de knoppen op de taakbalk gelijk aan de volgorde waarin u de programma's start. Niet altijd handig, want het kan gebeuren dat u een programma even moet sluiten om het vervolgens weer te openen. De knop komt dan op een andere plaats te

staan op de taakbalk. In Windows 7 hebt u de mogelijkheid om knoppen op de taakbalk naar een andere locatie te slepen. Bent u niet tevreden met de positie van de knop op de taakbalk? Sleep hem naar een plek waar u hem liever hebt.

Werkbalk Snel starten terug
Wilt u de vertrouwde werkbalk Snel starten terug, ondanks de geavanceerde mogelijkheden van de nieuwe taakbalk, klik dan ergens met uw rechtermuisknop op de taakbalk en kies voor **Werkbalken** > **Nieuwe werkbalk**. In het veld **Map:** geeft u vervolgens de tekst: C:\Users\<gebruikersnaam>\AppData\ Roaming \Microsoft\Internet Explorer\ Quick Launch. Daarna drukt u op enter. Bij **<gebruikersnaam>** vult u de naam in waarmee u inlogt onder Windows. Als u de taakbalk nu ontgrendelt (klik met de rechtermuisknop een lege plek op de taakbalk, haal het vinkje weg voor Taakbalk vergrendelen), kunt u de werkbalk naar de gewenste plek slepen. De werkbalk zal worden geactiveerd. Wilt u de werkbalk weer verwijderen, klik

Sleep knoppen op de taakbalk voor een betere positie.

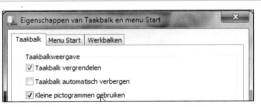

De werkbalk Snel starten terug.

dan ergens met uw rechtermuisknop op de taakbalk en kies opnieuw voor **Werkbalken**. Haal het vinkje weg voor **Quick Launch**. Let op, de werkbalk Snel starten is in eerste instantie niet zo mooi als die in XP of Vista (met alleen maar knoppen), u zult hem zelf op maat moeten maken. Hier wordt in dit hoofdstuk niet op ingegaan.

Het systeemvak onder de loep
De nieuwe versie van Windows heeft een vernieuwd systeemvak. Het systeemvak is het vak uiterst rechts op de taakbalk, waar de pictogrammen, de tijd en de datum in staan. U kunt met uw rechtermuisknop op een lege plaats in het systeemvak klikken (bijvoorbeeld, direct links naast de tijd) en dan kiezen voor de menuoptie **Meldingspictogrammen aanpassen**. In het nieuwe venster Systeemvakpictogrammen kunt u dan instellen welke pictogrammen u wilt zien in het systeemvak en welke u wilt verbergen. Een soortgelijk venster zit ook in Vista, maar is verbeterd in Windows 7. Standaard worden nieuwe pictogrammen verborgen en worden er enkel meldingen weergegeven. Een melding is bijvoorbeeld een ballonnetje met tekst, dat aangeeft dat u een update moet uitvoeren, of een melding dat u de firewall moet aanzetten. Als u in het venster Systeemvakpictogrammen klikt op **Systeemvakpictogrammen in- of**

 Tip   **Kleine pictogrammen voor meer overzicht**
Knoppen op de taakbalk kunnen flink wat ruimte innemen. U kunt ruimte besparen door in het Eigenschappenvenster voor de taakbalk een vinkje te zetten voor **Kleine pictogrammen gebruiken**.

Gebruik kleine pictogrammen op de taakbalk om ruimte te besparen.

Tip **Pictogrammen verbergen in het systeemvak**

Als u een pictogram in het systeemvak naar het bureaublad sleept, wordt het direct voor u verborgen. Het wordt dan in een soort containertje geplaatst, dat u daarna kunt openen door op het pijltje naast het systeemvak te klikken. Ofwel, om een pictogram te verbergen hoeft u niet de instelling in het venster Systeemvakpictogrammen te maken. Het kan dus sneller.

Let wel op! Om deze tip te kunnen uitvoeren, moet de optie **Altijd alle pictogrammen en meldingen op de taakbalk weergeven** niet aangevinkt zijn.

Pictogrammen snel verbergen door ze naar het bureaublad te slepen.

Aangeven welke pictogrammen u wilt zien in het systeemvak.

uitschakelen, kunt u van bepaalde standaard pictogrammen aangeven of u ze al dan niet wilt zien. U kunt er bijvoorbeeld voor kiezen om het volumepictogram niet meer weer te geven. Kies daartoe voor **Uitgeschakeld** in het rolmenu achter de tekst Volume. Klik op **OK** om terug te gaan naar het venster Systeemvakpictogrammen.

Alle pictogrammen weergeven

Mocht u altijd alle meldingen en pictogrammen willen weergeven, zet dan in het venster Systeemvakpictogrammen helemaal onderin een vinkje bij **Altijd alle pictogrammen en meldingen op de taakbalk weergeven**. Klik op **OK** om af te sluiten.

Het pictogram voor het Onderhoudscentrum

Het gaat te ver voor dit boek om alle pictogrammen in het systeemvak te behandelen. Van een is het echter goed om de functie te weten, omdat deze een belangrijke taak heeft in Windows 7: het vlaggetje. In Vista en recente versies van XP is er het Beveiligingscentrum. In Vista kunt u daarmee de status bekijken van de Firewall, Automatische Updates, Beveiliging tegen ongewenste software en Andere beveiligingsinstellingen. Mocht er iets mis zijn met een van deze onderdelen, dan geeft een rood, of een geel schildje in het systeemvak van Vista (en ook van XP) aan dat er iets aan de hand is.

In Windows 7 is het Beveiligingscentrum verleden tijd. Dat wil zeggen, het is geavanceerder geworden. Het Beveiligingscentrum heeft nu plaats gemaakt voor het Onderhoudscentrum. Het vlaggetje in het systeemvak representeert de status van

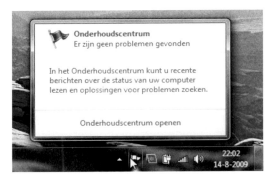

▲▼ *Met behulp van het vlaggetje in het systeemvak kunt u het Onderhoudscentrum openen.*

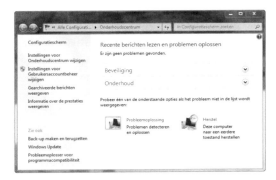

Een melding van Windows Update.

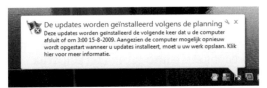

de verschillende onderdelen in het Onderhoudscentrum. Als u op het vlaggetje klikt, kunt u de actuele status weergeven van de verschillende onderdelen. Door in het nieuwe kader te klikken op de tekst **Onderhoudscentrum openen**, krijgt u het hoofdvenster te zien van het Onderhoudscentrum. Het Onderhoudscentrum is onderverdeeld in twee categorieën: Beveiliging en Onderhoud. Met de pijltjes naast de tekst **Beveiliging** en **Onderhoud**, kunt u een categorie uitklappen voor meer informatie. Beveiliging is kortweg het oude Beveiligingscentrum met een extraatje. Onderhoud is nieuw en vertegenwoordigt de actuele status van het besturingssysteem, waaronder de mogelijke problemen die er kunnen zijn, back-ups en updates.

Handig met vensters werken

Windows 7 heeft een aantal functies aan boord die het werken met vensters gemakkelijker maakt.

Met vensters schudden
In xp en Vista is er de mogelijkheid om het bureaublad weer te geven met een druk op de knop. U kunt dat doen door op het pictogram **Bureaublad weergeven** te klikken in de werkbalk Snel starten rechts naast de knop Start, tenminste, als u die werkbalk hebt geactiveerd. Toch is dit niet altijd even handig. Bijvoorbeeld als u alle vensters wilt minimaliseren, behalve een waarin u aan het werk bent. U raadt het al: in Windows 7 is dat opgelost. En wel op een manier die u niet zomaar raadt. Namelijk, door te schudden met een venster. De oplossing heet Aero Shake.

Als u meerdere vensters geopend hebt en u wilt ze allemaal minimaliseren behalve één, klik dan op de titelbalk van het venster dat u open wilt houden. Houd de muisknop ingedrukt. Beweeg de muis nu redelijk snel van links naar rechts. Ofwel, u beweegt het venster van links naar rechts. Alle vensters worden geminimaliseerd, behalve degene waar u mee hebt geschud. Wilt u de andere vensters weer openen, voer dan dezelfde actie uit op de titelbalk van het actieve venster. Alle verborgen vensters komen dan terug.

Vensters snel ordenen
Het komt regelmatig voor dat u twee vensters precies naast elkaar wilt hebben op het bureaublad, om zo dingen overzichtelijk te kunnen vergelijken. Voorheen moest u

Schermen naast elkaar zetten.

dan met uw rechtermuisknop op de taakbalk klikken en kiezen voor **Vensters naast
elkaar weergeven**. Hoewel dat nog steeds
kan, is er in Windows 7 ook een
andere manier: Aero Snap. U hebt
bijvoorbeeld twee vensters van Internet Explorer geopend en u wilt
deze precies naast elkaar positi-
oneren op het bureaublad. Sleep
daartoe het ene Internet Explorer-
venster helemaal naar rechts op
het bureaublad. Hoe de grootte
van het venster op dat moment
ook is, Windows zal het venster nu
precies half schermvullend maken.
Sleep daarna het andere venster

helemaal naar links. Ook dat venster zal Windows dan automatisch
aanpassen aan de andere helft. U
hebt ze daarna keurig naast elkaar
staan. Sleep het venster weer
terug om het zijn oorspronkelijke
grootte te geven.

Maximaliseren in een handomdraai

Als u een actief venster wilt maximaliseren, kunt u de knop indrukken voor maximaliseren, rechts
bovenin het venster. Handiger is echter om
op de toets Windows te drukken (de toets
met het Microsoft-vlaggetje op het toetsenbord), deze vast te houden en vervolgens op

Sleep een venster naar boven om het schermvullend te maken.

Door boven de knop rechtsonder in de taalbalk te zweven, krijgt u een voorbeeld van het bureaublad.

Een overzicht van het bureaublad

U kunt in Windows 7 snel zien hoe de vensters op het bureaublad zijn geordend. Handig als er allerlei vensters over elkaar heen staan en u bijvoorbeeld wilt weten waar dat ene scherm staat. Door met uw muisaanwijzer over de knop uiterst rechts onderaan de taakbalk te zweven, dus over het rechthoekige knopje rechts naast de tijd, zal een voorbeeld van het bureaublad worden weergegeven (Aero Peek). Dat geeft u een soort lay-out. Let wel op, zoals in de inleiding al geschreven is: dit is precies zo'n tip waarvoor alle onderdelen van de gebruikersinterface actief moeten zijn. Overigens, als u niet met de muisaanwijzer over de knop zweeft, maar er echt op klikt, dan worden alle vensters geminimaliseerd. Mocht het niet lukken? Ga naar **Start** > **Help en ondersteuning** en tik 'Aero Peek' in het zoekveld, om meer informatie te krijgen. U kunt het voorbeeld uitzetten. Klik met uw rechtermuisknop op een lege plek op de taakbalk en selecteer **Eigenschappen**. Haal het vinkje weg bij **Met Aero Peek een voorbeeld van het bureaublad weergeven**. Klik op **OK** om af te sluiten.

de pijltjestoets naar boven te drukken. Het venster wordt dan vergroot. U kunt het venster weer verkleinen door eenzelfde actie, maar dan door de pijltjestoets naar beneden te gebruiken. Overigens, met de toets Windows + ← en de toets Windows + →, kunt u ook vensters half schermvullend maken.

Een andere mogelijkheid is dat u het venster helemaal naar boven op het bureaublad sleept. Het venster wordt dan automatisch schermvullend gemaakt. Deze bewerking is gelijkwaardig aan venster naar links of naar rechts slepen, zoals al eerder is uitgelegd. Sleep het venster weer naar beneden om het zijn oorspronkelijke grootte te geven.

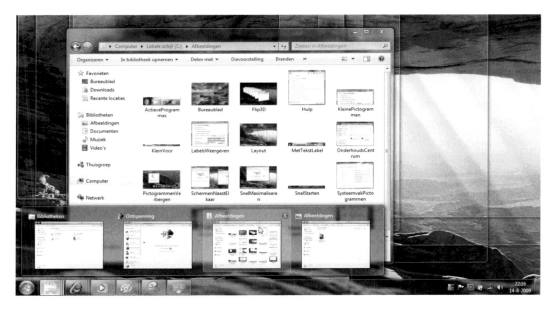

De muisaanwijzer zweeft over de miniatuurweergave van Afbeeldingen om dat venster eruit te laten springen.

Het actieve venster uitlichten

Als u een flink aantal vensters open hebt, kan het handig zijn om te zien waar exact een bepaald venster op het bureaublad staat. Als u met de muisknop over de betreffende programmaknop in de taakbalk zweeft, verschijnt er een miniatuurweergave van dat scherm. Of zelfs meerdere miniatuurweergaven als het programma meerdere keren actief is. Als u met uw muisaanwijzer over een miniatuurweer-

> **Tip Venster sluiten**
>
> Als u een venster wilt sluiten, dan kunt u in de miniatuurweergave op het kruisje rechtsbovenin klikken.

gave zweeft, zal het betreffende venster op het bureaublad eruit springen. Dat gebeurt door alle andere vensters op het bureaublad doorzichtig te maken.

Tip **Overzicht met Flip 3D**

Het schakelen tussen schermen met de toetscombinatie ALT+TAB (Flip) zit al sinds het prille begin in Windows. Dat is een functie die waarschijnlijk ook nooit zal verdwijnen, want hij is erg handig. In Vista is hier een variant op bedacht: Flip 3D. Geen tweedimensionale weergave van alle openstaande schermen zoals met ALT+TAB, maar een driedimensionale weergave. Ook in Windows 7 is die functie gebouwd. In Vista was er echter een knop aanwezig in de werkbalk Snel starten om Flip 3D te activeren. In Windows 7 is dat niet meer zo, omdat standaard de werkbalk Snel starten ontbreekt. In Windows 7 kunt u Flip 3D activeren door CTRL+Windowstoets+TAB in te drukken (kan ook in Vista). Vervolgens krijgt u een driedimensionale weergave te zien. U kunt er daarna met TAB doorheen scrollen.

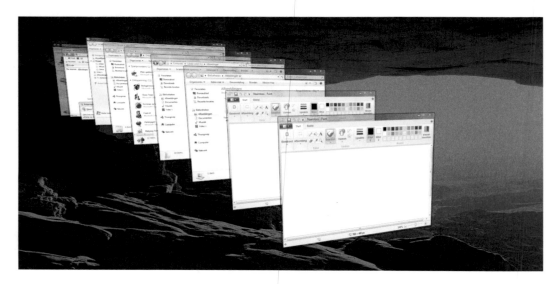

Een driedimensionale weergave van de geopende vensters.

Jump Lists

Als u een programma open hebt en er staat een knop op de taakbalk, dan kunt u een lijst van bestanden laten tonen die u eerder hebt geopend in dat progamma. Microsoft noemt dat Jump Lists.

Supersnel bestanden openen

Stel u hebt Internet Explorer geopend. Door met de rechtermuisknop op de taakbalk-knop van Internet Explorer te klikken, krijgt u de Jump List te zien van Internet Explorer. Dat is een lijst van locaties die u eerder hebt bezocht. Een lijst van internetadressen, zo u wilt. U kunt nu direct het gewenste adres aanklikken om er naartoe te surfen. Tevens kunt u met de Jump List een aantal andere dingen doen, waaronder een nieuw tabblad openen, of Inprivate-navigatie starten. Dat laatste betekent dat u een Internet Explo-rer-venster start, waarmee u op het internet kunt surfen zonder sporen op uw pc achter te laten.

Als u een internetadres niet meer kwijt wilt uit de Jump List, zweef dan met uw muisaanwijzer over het adres. Klik daarna op de punaise die oplicht. Dat adres wordt dan vervolgens vastgepind in de Jump List en komt te staan in het vak Gepind.

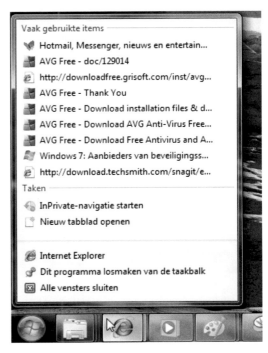

▲ Open snel een internetadres met een Jump List.

▼ Pin een adres vast aan de Jump List.

Open snel een locatie met een Jump List in het menu Start.

Jump Lists in het menu Start

Jump Lists werken niet alleen voor de Internet Explorer, maar ook voor andere programma's, zoals de Mediaspeler. Natuurlijk treft u in de Mediaspeler een andere Jump List dan in de Internet Explorer. De Mediaspeler zal een lijst bevatten met recente bestanden die u in de Mediaspeler hebt geopend, terwijl de Internet Explorer-Jump List bestaat uit internetadressen. De Jump Lists zijn ook aanwezig in het menu Start.

Tip **Jump List, maar dan nog sneller**

U kunt een Jump List ook activeren door met de linkermuisknop op de knop in de taakbalk te klikken en de muis dan langzaam naar boven te bewegen (terwijl u de muisknop vasthoudt). De lijst zal nu langzaam tevoorschijn komen. Als u de muisknop blijft vasthouden en de muis weer naar beneden beweegt, zal de lijst ook weer verdwijnen.

Tip **Pictogrammen aan het menu Start toevoegen**

In het menu Start kunt u met uw rechtermuisknop op een programma klikken en kiezen voor **Aan het menu Start vastmaken**. Daarmee komt het pictogram bovenin het menu Start te staan. Let op! Sommige programma's kunt u niet vastmaken aan het menu Start.

Waar van toepassing, staat achter een programma in het openingsmenu, een pijltje. Als u op dat pijltje klikt opent u de Jump List voor dat programma.

Het bureaublad

Op het eerste gezicht lijkt er niet zoveel veranderd aan het bureaublad van Windows. Toch zijn er een aantal leuke mogelijkheden om de bureaubladbelevenis te veraangenamen.

Gadgets om het bureaublad te verfraaien

Windows Vista had de Sidebar, die aan de rand van het bureaublad kon worden geplaatst. Op deze Sidebar konden gadgets worden gezet, zoals een klok, de beurskoersen, of een TV-uitzending. In Windows 7 is de Sidebar weggelaten. U kunt nu gadgets direct op het bureaublad plaatsen en hebt u dus eigenlijk de Sidebar niet meer nodig. Klik daartoe met uw rechtermuisknop ergens op een lege plek op het bureaublad en selecteer **Gadgets** in het menu. Er wordt een venster getoond met daarin de aanwezige gadgets. Sleep het gewenste gadget naar het bureaublad om het vast te zetten. Wilt u het gadget verwijderen, klik er dan op en selecteer het kruis aan de zijkant van een gadget. Dat verwijdert de minitoepassing. Wilt u meer gadgets dan die standaard in Windows zijn geïnstalleerd? Klik dan op **Meer gadgets downloaden**.

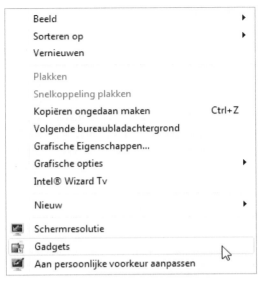

Kies Gadgets onderin het menu om de gadgets te activeren.

Gadgets op het bureaublad plaatsen.

Kermis voor de ogen: thema's

Thema's zijn eigenlijk al bekend uit Vista en XP. Windows 7 heeft ook thema's aan boord, maar dan veel beter georganiseerd. In Windows 7 is een thema een mix van afbeeldingen, kleuren en geluiden op uw pc. Een thema bestaat uit een bureaubladachtergrond, een schermbeveiliging, een kleur voor de vensterkaders en een geluids-schema. Bepaalde thema's hebben zelfs bureaubladpictogrammen en muisaanwij-zers. U kunt een thema instellen door met uw rechtermuisknop op het bureaublad te klikken en te kiezen voor **Aan persoonlijke voorkeur aanpassen**. Dit opent het Per-soonlijke instellingenvenster, dat ook weer via het Configuratiescherm te bereiken is. Direct ziet u een overzicht van thema's:

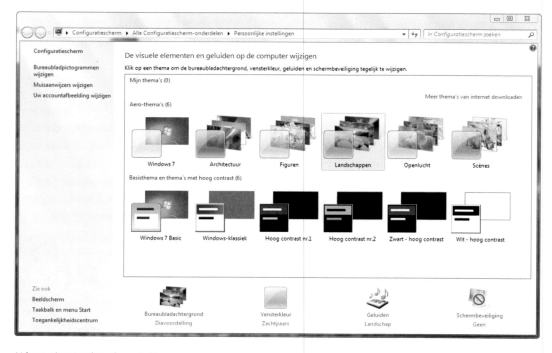

U kunt uit meerdere thema's kiezen.

Mijn thema's, Aero-thema's en Basisthema's en thema's met een hoog contrast. Mijn Thema's zijn thema's die u zelf hebt opgeslagen. Basisthema's en thema's met een hoog contrast zijn bijvoorbeeld thema's met basiskleuren, een enkele bureaubladachtergrond, of thema's met hoogcontrastkleuren. Wat ons betreft zijn de mooiste thema's de Aero-thema's. Specifiek gemaakt voor de grafische machine van Windows 7.

Aero-thema's

De meeste Aero-thema's bestaan uit meerdere bureaubladachtergronden, een soort diashow. U kunt dat zien omdat in de miniatuurweergave van het specifieke thema, meerdere achtergronden schuin achter elkaar staan. Iedere dertig minuten

Aero-thema's (6)

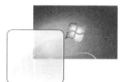

Windows 7   Architectuur

Het thema Windows 7 bestaat uit één achtergrond,
het thema Architectuur uit meerdere.

verandert de achtergrond naar de volgende in de diashow. Later wordt u uitgelegd dat u met een druk op de muisknop ook zelf van achtergrond kunt wisselen en dat u de tijd niet hoeft af te wachten. Als u een thema aanklikt, hoort u een geluidje en wordt het direct actief. U ziet onder in het venster welke bureaubladachtergrond u hebt geselecteerd, wat de vensterkleur is, welke geluiden er bij horen en welke schermbeveiliging ermee correspondeert. U kunt dit echter naar uw smaak aanpassen.

Thema op maat maken

Stel dat u het landschappenthema het prettigst vindt, maar dat u toch andere achtergronden wilt dan de statige landschappen. Klik op het landschappenthema. Klik daarna onderin het venster Persoonlijke instellingen op **Bureaubladachtergrond**. Nog even voor de duidelijkheid: het venster Persoonlijke instellingen is het venster met het overzicht van alle thema's. Als u op **Bureaubladachtergrond** hebt geklikt, kunt u kiezen uit een hele trits Windows-achtergronden, onderverdeeld in series, zoals Architectuur, Openlucht en Scènes. Als u de serietekst aanklikt, worden alle achtergronden in die serie actief als een diashow. U hoeft dus alleen de serie maar aan te klikken om alle

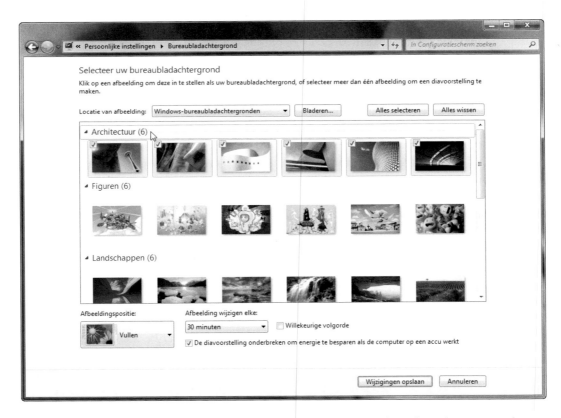

U hoeft alleen maar op de serietekst te klikken om alle foto's in die serie te activeren.

foto's actief te maken. U kunt echter ook een enkele achtergrond aanklikken, of meerdere achtergronden uit verschillende series. Net wat u wilt laten rouleren op uw bureau-

bladachtergrond. Onderin het venster kunt u verder de tijd aangeven voordat er een andere achtergrond actief wordt.

Nog meer thema's

Bovenin het venster Persoonlijke instellingen, achter de tekst **Locatie van afbeelding**, kunt u

Afbeeldingen kunnen ook op andere locaties staan.

middels een rolmenu ook op andere locaties op de computer naar achtergronden zoeken. Wilt u uw eigen foto's als diashow, klik dan op bladeren en navigeer naar uw foto's. Klik op **Wijzigingen opslaan** om terug te gaan naar het venster Persoonlijke instellingen.

Sla uw thema op, zodat u het later weer terug kunt halen.

Thema's opslaan

Als u een thema hebt geselecteerd en gewijzigd, zal het automatisch in Mijn thema's komen te staan. Kies vervolgens voor **Thema opslaan** en geef het een naam, om het thema op uw computer te bewaren. Zo kunt u er later altijd weer over beschikken. U kunt een door uzelf opgeslagen thema verwijderen door er met uw rechtermuisknop op te klikken en te kiezen voor **Thema verwijderen**. Zorg er wel voor dat er eerst een ander thema actief is, anders kunt u het niet verwijderen.

Van vensterresolutie wisselen

In oudere versies van Windows was het wat onhandig om de schermresolutie snel te

Tip **Van achtergrond wisselen**

Als u een thema hebt geselecteerd dat bestaat uit meerdere afbeeldingen, dan kunt u op de volgende manier snel van achtergrond wisselen (onafhankelijk van de tijd dus die u hebt ingesteld). Klik met uw rechtermuisknop ergens op het bureaublad en kies de mogelijkheid **Volgende bureaubladachtergrond** om naar de volgende afbeelding te gaan op het bureaublad. De volgende achtergrond in de serie zal actief worden.

wisselen als u daar geen aparte programma's voor had. In Windows 7 is daar beter over nagedacht. Klik met uw rechtermuisknop ergens op het bureaublad en selecteer **Schermresolutie**. U krijgt direct een venster waarin u kunt aangeven welke resolutie u wilt. Hoe hoger de resolutie, hoe meer er op het beeldscherm past, maar hoe kleiner alles wordt weergegeven.

Zo wisselt u snel van resolutie.

De Windows-
verkenner

Om bestanden en mappen te bewerken, zullen de meeste mensen de Windows-Verkenner gebruiken. De Windows-Verkenner in Windows 7 heeft een aantal nieuwe functies aan boord met betrekking tot bestandsbeheer. Deze nieuwe functies kunnen voor verwarring zorgen vanwege de verschillen ten opzichte van XP en Vista.

In dit thema leert u met de nieuwe functies om te gaan. Een belangrijk nieuw element in Windows 7 is het onderdeel Bibliotheken. In bibliotheken kunt u verschillende mappen – op verschillende locaties – op een centrale plaats verzamelen. Daar wordt op ingegaan in dit thema. Maar dat niet alleen, ook gaat dit thema in op basisfuncties van de Windows-Verkenner en geavanceerde instellingen. Sommige van de basisfuncties en instellingen kunt u ook terugvinden in de Windows-Verkenner in XP en Vista. Toch is er voor gekozen om deze zaken te behandelen, omdat Windows 7-gebruikers er ook baat bij hebben.

In dit thema wordt trouwens niet steeds de term Windows-Verkenner gebruikt. Er zal kortweg de term Verkenner worden gebruikt. Het mag dan duidelijk zijn dat het dan de Windows-Verkenner betreft. Verder is het goed om te weten dat dit thema iets verder gaat dan het voorgaande. Dat betekent niet dat u een expert hoeft te zijn, maar misschien wel dat doorlezen wat langzamer kan gaan.

De Verkenner starten

Om de Verkenner te starten, klikt u op het Verkennerpictogram op de taakbalk. U weet wel, het pictogram links onderin, met de gele opbergmappen in de grijze houder. Tenminste, er vanuit gaande dat het Verkennerpictogram nog steeds zit vastgemaakt aan de taakbalk. Het zou kunnen dat het pictogram is losgemaakt bij het uitvoeren van de experimenten in het voorgaande thema. U hebt het pictogram dan niet meer en u kunt de Verkenner dan ook niet starten via het pictogram. Mocht u het pictogram inderdaad niet meer hebben, ga dan naar de knop **Start** en ga vervolgens naar **Alle Programma's** > **Bureau-accessoires** > **Windows Verkenner**. Ook op die manier kunt u de Verkenner starten. Overigens, in het

▲ Start de Verkenner vanuit het menu Start.

▼ De Verkenner in Windows 7.

voorgaande thema kunt u lezen hoe u een verloren knop weer moet vastmaken aan de taakbalk.

In de eerste instantie ziet de Verkenner er iets anders uit dan de Verkenner in XP, of Vista. Als de Verkenners in XP, Vista en Windows 7 met elkaar worden vergeleken, kan er duidelijk een ontwikkeling worden waargenomen. Door deze ontwikkeling lijkt de Verkenner in Windows 7 op het eerste gezicht wat massief. Onwennig, zo u wilt. Schrik er niet van, na het doorlezen van dit thema zult u hier anders over denken.

Het hoofdvenster

In het Verkennervenster treft u links in het navigatievenster de locaties **Thuisgroep**, **Netwerk**, **Favorieten**, **Computer** en **Bibliotheken** (een locatie kunt u zien als een verwijzing naar bepaalde plaats). Het navigatievenster is het venster aan de linkerkant van de Verkenner. De rechterkant van de Verkenner is het overzichtsvenster. Als u ergens op klikt in het navigatievenster, resulteert dat doorgaans in een overzicht in het overzichtsvenster. Mocht u op de een of andere manier het navigatievenster kwijt-

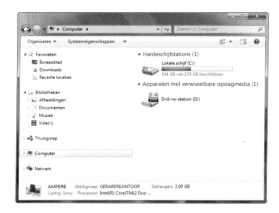

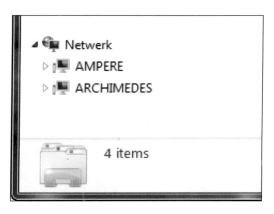

Links klikken geeft rechts een overzicht.   *Een overzicht van de computers die zijn aangesloten.*

raken, ga dan naar de knop **Organiseren** en vervolgens naar **Indeling** en klik op **Navigatievenster** om het venster weer zichtbaar te maken.

De locaties Netwerk en Thuisgroep

De locaties **Netwerk** en **Thuisgroep** zijn typische netwerklocaties. Ze verwijzen naar plaatsen waar u meer informatie kunt vinden met betrekking tot het netwerk waar uw computer mee verbonden is. Bij **Netwerk** kunt u bijvoorbeeld andere computers vinden die in het netwerk aanwezig zijn. Tenminste, als uw instellingen dat toelaten. Met **Thuisgroep** kunt u meerdere dingen doen, maar een voorbeeld is het eenvoudig

delen van printers met andere Windows 7-computers. Meer daarover in een van de volgende thema's.

De locatie Computer

De meeste mensen zullen veelal de locatie Computer gebruiken. Door op het pijltje links naast Computer te klikken, krijgt u een overzicht van de beschikbare bronnen op uw pc, zoals bijvoorbeeld uw harde schijven en optische schijven. Als u uw optische schijf niet zit staan in het navigatievenster, maar wel in het overzichtsvenster, dan komt dat omdat niet alle mappen worden weergegeven in de Verkenner. Hoe u dat kunt aanpassen, leest u zo. Met het

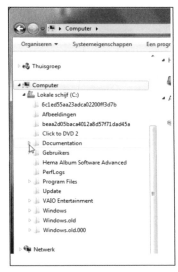

Klik op het pijltje om een map uit te klappen.

pijltje aan de linkerkant van een map, kunt u deze map uitklappen. U kunt dat ook doen met de pijltjestoetsen (← en →).

Het zal u opvallen dat standaard de mappen zijn ingeklapt. Dat kan het lastig maken om ermee te werken. U moet dan steeds op het pijltje klikken om de mappen eronder weer te geven. Met de volgende tip kan het sneller.

Verkenner met twee vensters
Veel bestandsmanagers hebben twee vensters om bestanden te ordenen. Een linker- en een rechtervenster. Afhankelijk van uw

wensen kunt u dan links de map openen met bestanden die u wilt kopiëren (bron-map) en rechts de map waar u de bestanden naartoe wilt kopiëren (doelmap). Heel handig, zo kunt u lekker snel werken. De Verkenner heeft deze twee schermen echter niet. En dat hoeft ook eigenlijk niet, zeker niet in Windows 7. U kunt de Verkenner namelijk zelf met twee vensters uitrusten met behulp van de functie Aero Snap. Dat doet u als volgt.

Hier wordt vanuit gegaan dat u de Verkenner al een keer op uw bureaublad hebt. Start de Verkenner nog een keer door de SHIFT-toets ingedrukt te houden en het Verkennerpictogram nogmaals aan te klikken. Dat opent een tweede Verkennervenster. Sleep het ene venster nu uiterst links naar het bureaublad en het andere venster uiterst rechts. De vensters worden nu naast elkaar gezet op het bureaublad. Open in het ene venster de bronmap, zeg C:\. Open in het andere venster de bestemmingsmap, zeg C:\Windows. Nu kunt u gemakkelijk bestanden kopiëren van het ene naar het andere venster door ze van links naar rechts te slepen. In het vorige thema kunt u meer details lezen over Aero Snap.

Verkenner met twee vensters. ▶

Alle mappen uitklappen

Het uitklappen van een map kan sneller dan door op het pijltje ernaast te klikken.
Dat kan op de volgende manier. Activeer de
map die u wilt uitklappen door er met uw
linkermuisknop op te klikken, bijvoorbeeld
Bibliotheken. Druk vervolgens op de asterisk
(*) op het numerieke toetsenbord. Daarna
worden alle mappen direct voor u uitgeklapt die onder Bibliotheken vallen. Houd er
rekening mee dat het best tijd kan kosten om
grote mappen helemaal uit te klappen. Bijvoorbeeld als u C:\ helemaal wilt uitklappen.

Let op, het automatisch uitklappen kan
alleen met deze asterisk op het numerieke
toetsenbord. Daarvoor moet wel de num-lock
aan staan. U kunt num-lock activeren met
de gelijknamige toets op het toetsenbord.
En als u een laptop gebruikt is het helemaal
uitkijken: dan zit het numerieke deel in het
gewone toetsenbord verwerkt. Maar ook dan
zal de num-lock het numerieke deel activeren.

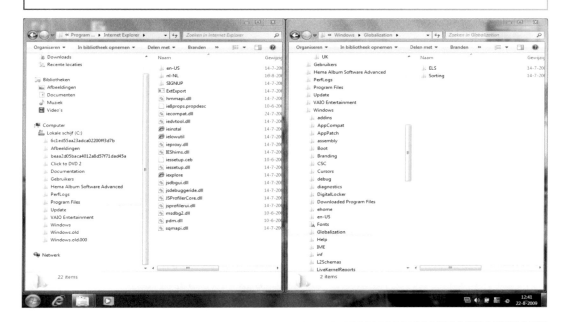

Tip **Sneller bestanden verplaatsen**

Het kan voorkomen dat u een bestand wilt verslepen naar een bepaalde map,
omdat het daar beter op zijn plaats is. Soms
is de map waar u naartoe wilt slepen echter
niet zichtbaar omdat hij niet is uitgeklapt. U
hoeft uw bewerking daar niet voor te staken.
Blijf, met het bestand aan uw muisaanwijzer,
boven de hoofdmap zweven waar de doelmap zich in bevindt. Het duurt even, maar
Windows zal automatisch de map uitklappen.
U kunt dit instellen door met uw rechtermuisknop op de knop **Start** te klikken en **Eigenschappen** te selecteren. Klik op de knop
Aanpassen en zorg ervoor dat er een vinkje
staat net onder het midden bij **Onderlig-
gende menu's openen als ik erboven zweef
met de muisaanwijzer**. Standaard staat het
vinkje er al. Mocht u het niet prettig vinden,
dan kunt u het vinkje weghalen.

Trouwens, nog een tip. Als u een bestand
aan het verslepen bent, maar u bedenkt zich,
dan kan dat ongedaan worden gemaakt. Druk
tijdens het verslepen eenvoudig op de ESC-
toets en de operatie wordt vernietigd. Dat
is natuurlijk handiger dan naderhand alles
opnieuw te doen in omgekeerde volgorde.

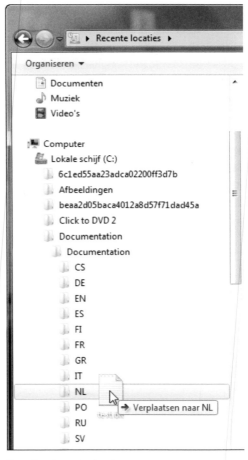

Zweef met een bestand boven een map.
Uiteindelijk zal de map uitklappen.

De locatie Favorieten

De locatie **Favorieten** in de Verkenner zijn Verkennerfavorieten, niet Internet Explorer-favorieten. In Vista heet dit onderdeel **Favoriete koppelingen** in plaats van **Favorieten**. In **Favorieten** kunt u bijvoorbeeld de mappen zetten die u regelmatig bezoekt. Tevens treft u in map **Favorieten** het onderdeel **Downloads** aan. De map **Downloads** bevat – hoe kan het ook anders – downloads die u hebt gedaan vanaf internet en opgeslagen op C:\ users\<gebruikersnaam>\downloads, bijvoorbeeld programma's die u hebt gedownload. Ofwel de bestanden die u hebt gekopieerd van internet naar uw computer. Ook treft u de map **Recente locaties**. Daarmee kunt u kijken welke plekken u in Windows 7 in het verleden hebt bezocht. Om de lijst te verwijderen klikt u met uw rechtermuisknop op **Recente locaties** en selecteert u **Lijst met recente items wissen**.

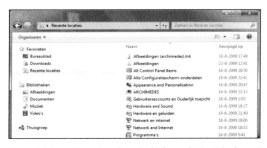

Overzicht van Locaties die u hebt bezocht in Windows 7.

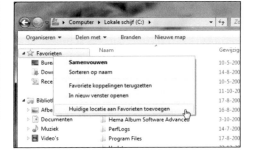

Favorieten toevoegen in de Verkenner.

Tip   **Zo stelt u een Favoriet in**

Op de volgende manier kunt u zelf een favoriet instellen in de map **Favorieten**. Navigeer naar de locatie die u wilt toevoegen. Als u bijvoorbeeld naar de c-schijf navigeert door in de adresbalk C:\ <enter> te tikken, opent u de c-schijf in de Verkenner. Klik daarna met uw rechtermuisknop op **Favorieten** en selecteer **Huidige locatie aan Favorieten toevoegen**. Zo komt de c-schijf bij de **Favorieten** te staan.

Bestanden en mappen weergeven en rangschikken

Als u een map opent, dan kunt u de weergave van de bestanden wijzigen. De weergave is het overzicht dat u ziet in het overzichtsvenster. U weet wel, de pictogrammen die u rechts ziet staan. Gemakshalve kan er ook gezegd worden: het veranderen van de weergave is een verandering van de vorm van de pictogrammen.

Om de weergave te veranderen kunt u de knop **Weergave** gebruiken op de werkbalk. Dat is de eerste knop van links direct onder het zoekvenster. Elke keer dat u op de knopt klikt, krijgt u een ander soort overzicht te zien. U moet het zelf maar eens proberen. Er zijn vijf verschillende weergaven: **Grote pictogrammen**, **Lijst**, **Details** die verschillende kolommen met gegevens over het bestand bevat, een kleinere pictogramweergave met de naam **Tegels** en de weergave **Inhoud** die een deel van de inhoud in het bestand bevat. U kunt ook op de pijl naast de knop klikken voor meer mogelijkheden. Er wordt dan aan schuif zichtbaar. Hoe hoger u de schuif vervolgens zet, hoe groter de weergave wordt.

Menubalk weergeven

De menubalk in de Verkenner is in Windows 7 standaard verdwenen. U kunt deze terug zetten. Dat geeft niet alleen een vertrouwd gezicht, maar ook nog eens meer mogelijkheden. Ga naar knop **Organiseren** > **Indeling** en klik op **Menubalk**. Bovenin de Windows-Explorer krijgt u nu de vertrouwde menu-opties te zien onder de adresbalk: **Bestand**, **Bewerken**, **Beeld**, **Extra** en **Help**. Die worden niet verder in detail behandeld, daarvan is het goed om er zelf mee te experimenteren.

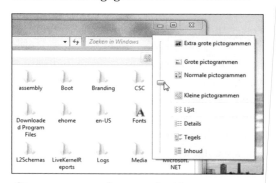

De weergave veranderen van de pictogrammen.

De menubalk weergeven.

Bibliotheken

Misschien is het u opgevallen, maar een locatie in de Verkenner is nog niet behandeld. Dat is de locatie **Bibliotheken**. Bibliotheken zijn nieuw in Windows 7 en zijn een verzameling van mappen die ook nog eens op verschillende plaatsen kunnen staan. Net als een boekenbibliotheek een verzameling van boeken is die overal vandaan kunnen komen. In Windows-bibliotheken kunt u documenten, muziek, video's, afbeeldingen en andere bestanden beheren. En net zoals u dat ook met gewone mappen kunt, kunt u ook in bibliotheken naar bestanden zoeken en kunt u bestanden ordenen op bijvoorbeeld eigenschappen als datum en type.

Het verschil met een gewone map is dat een bibliotheek diverse mappen kan combineren die op verschillende plaatsen staan. U kunt bijvoorbeeld de map met afbeeldingen

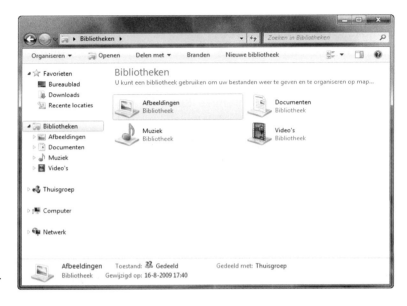

De Verkenner met Bibliotheken geopend.

op uw eigen computer in de bibliotheek zetten, maar ook de map met afbeeldingen die op de pc op zolder staan. Of de map met afbeeldingen op elke andere pc in het netwerk. Om de afbeeldingen op die andere pc dan te benaderen, hoeft u alleen maar naar de bibliotheek te gaan.

Het handige aan een bibliotheek is dat, ondanks dat informatie verspreid is, het toch op een centrale plaats kan worden beheert. En stel dat uw computer een keer kapot gaat en u heeft uw belangrijke bestanden via een bibliotheek op een andere computer staan. Dan bent u niet direct uw bestanden kwijt. U kunt dan uw computer repareren, Windows 7 opnieuw installeren en de bibliotheek op orde brengen. Klaar, u kunt weer zaken doen. Natuurlijk kan die andere computer ook stuk gaan, maar het idee zal u duidelijk zijn.

Bibliotheken maken
Standaard bibliotheken in Windows 7 zijn **Muziek**, **Afbeeldingen**, **Video's** en **Documenten**. Mocht dat niet voldoende zijn en wilt u zelf een bibliotheek maken, dan kunt u met uw rechtermuisknop op **Bibliotheken** klikken en kiezen voor **Nieuw > bibliotheek**. Een andere mogelijkheid is dat u bovenin de

Zelf een Bibliotheek maken.

> **Tip** **Deelvenster Bibliotheek in- en uitschakelen**
>
> Als u op een bibliotheek klikt (bijvoorbeeld Afbeeldingen), dan treft u in het overzichtsvenster het deelvenster Bibliotheek. Daarin krijgt u extra informatie over de bibliotheek. Dat kan handig zijn, maar het deelvenster neemt ook ruimte in beslag. Als u er vanaf wilt, kan dat. Ga naar knop **Organiseren** > **Indeling**, en haal het vinkje weg voor **Deelvenster Bibliotheek**. Dat zal het deelvenster verwijderen.

Verkenner op de knop **Nieuwe bibliotheek** klikt. De locatie Bibliotheken moet daarvoor wel actief zijn: u moet deze hebben aangeklikt met de linkermuisknop.

Map aan een Bibliotheek toevoegen
Als u een map aan een bibliotheek wilt toevoegen, klikt u met uw rechtermuisknop op de betreffende map en selecteert u **In bibliotheek opnemen**. Daarna selecteert u de juiste bibliotheek. Let op! U kunt niet alles aan de bibliotheek toevoegen, C:\, bijvoorbeeld, kan niet worden toegevoegd. Stel, u hebt een nieuwe map **Afbeeldingen** op uw bureaublad gemaakt waarin de foto's van

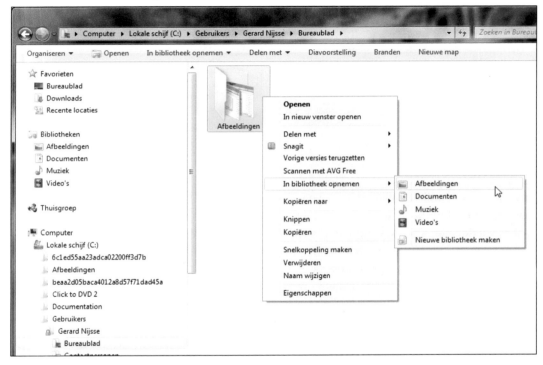

Nieuwe map toevoegen aan Bibliotheek.

uw vakantie staan en u wilt deze map nu toevoegen aan de bibliotheek **Afbeeldingen**. Navigeer daarvoor eerst naar de map **Bureaublad** door in de Verkenner te gaan naar **Computer** > **Lokale schijf (c:)** > **Gebruikers** > **<gebruikersnaam>** > **Bureaublad** (of naar **Bureaublad** in de **Favorieten**). Klik vervol-

gens met uw rechtermuisknop op **Afbeeldingen** en ga naar **In bibliotheek opnemen** > **Afbeeldingen**. Als u nu in de Verkenner gaat naar **Bibliotheken** > **Afbeeldingen**, ziet u de toegevoegde map erbij staan.

Bibliotheek instellen
U kunt een bibliotheek instellen door met uw rechtermuisknop op de gewenste biblio-

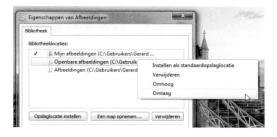

▼ De eigenschappen van een specifieke bibliotheek.

▲ De volgorde van de mappen aangeven.

theek te klikken en te kiezen voor **Eigenschappen**. Dit geeft het eigenschappenvenster voor die bibliotheek te zien. In het kader **Bibliotheeklocaties** staan de mappen die zijn opgenomen in de bibliotheek. Standaard zijn dat **Mijn afbeeldingen** en **Openbare afbeeldingen**. Door met uw rechtermuisknop op een map in het vak **Bibliotheeklocaties** te klikken, kunt u aangeven of de map omhoog of omlaag moet in het lijstje. Tevens kunt u hier een map verwijderen, of als standaardopslaglocatie instellen.

Met de knop **Een map opnemen** kunt u nieuwe mappen aan de bibliotheek toevoegen. Dat is gelijkwaardig aan zoals net beschreven is door met uw rechtermuisknop op een map te klikken. Wilt u een map uit de bibliotheek verwijderen, selecteer dan de map in het eigenschappenvenster en klik op de knop **Verwijderen**. Of klik met uw rech-termuisknop op de betreffende folder in het bibliotheekmenu en kies voor **Locatie uit bibliotheek verwijderen**. U moet daarvoor het Eigenschappenvenster wel eerst verlaten.

Opslaglocatie instellen

Voor de map **Mijn afbeeldingen** ziet u een vinkje staan in het kader **Bibliotheeklocaties**. Dit geeft de opslaglocatie aan. Als u een map, of bestand naar een bibliotheek sleept, bij-

Zo kunt u een map ook in de Bibliotheek opnemen.

Tip	**Map opnemen in een Bibliotheek**

Weer een andere manier om de map **Afbeeldingen** aan de bibliotheek toe te voegen is als volgt. Klik links in het navigatievenster op **Bureaublad**. Klik vervolgens de map **Afbeeldingen** aan. Tot slot, klik op de knop **In Bibliotheek opnemen** in de werkbalk, om de map op te nemen in de bibliotheek.

voorbeeld de bibliotheek **Afbeeldingen**, dan wordt die map, of dat bestand, verplaatst naar die bibliotheek. Logisch, of toch niet? Niet helemaal. Daar een bibliotheek alleen maar een verzameling is van bestanden en mappen (en dus zelf geen map is), kan een map of een bestand niet zomaar in een bibliotheek worden gezet. Het moet ergens worden opgeslagen. U raadt het al, het bestand wordt dan opgeslagen in de opslaglocatie. Ofwel, als u een afbeelding naar de bibliotheek **Afbeeldingen** sleept, wordt het standaard opgeslagen in de map **Mijn afbeeldingen.** U

kunt dit uiteraard naar uw eigen smaak aanpassen door het vinkje voor een andere map te zetten. Klik daartoe op de map waarin u afbeeldingen standaard wilt opslaan en klik daarna op de knop **Opslaglocatie instellen**. U kunt ook met uw rechtermuisknop op de betreffende map klikken die u wilt instellen en vervolgens gaan naar **Instellen als standaardopslaglocatie.**

Een bibliotheek optimaliseren.

Optimaliseren van de bibliotheek

In het eigenschappenvenster kunt u een bibliotheek optimaliseren voor de inhoud. Voor de optimalisatie kunt u kiezen uit **Documenten**, **Muziek**, **Afbeeldingen**, **Video's** en **Diverse bestanden**. Hoewel het verstandig is dit juist in te stellen, moet u zich er niet teveel van voorstellen. Dit betekent alleen dat de eigenschappen van de bibliotheek wat anders worden. Bijvoorbeeld, bij afbeeldingen is het handig als u een miniatuurweergave ziet in het overzichtsvenster,

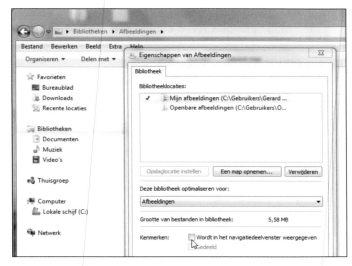

Bibliotheken niet weergeven in het navigatiedeelvenster.

bij muziek is het handig als u de auteur ziet. Ook als u straks misschien bestanden moet zoeken, is het handig om de juiste optimalisatie te hebben. U krijgt namelijk de beschikking over standaard zoektermen in het zoekvenster. Bijvoorbeeld 'Auteur' bij **Muziek** en **Genomen** op bij 'Afbeeldingen'. Als de optimalisatie dan niet goed is, krijgt u niet de juiste termen.

Bibliotheken onzichtbaar maken

Links onderin het eigenschappenvenster

van de bibliotheek treft u **Kenmerken**. Een van de kenmerken is **Wordt in navigatie-deelvenster weergegeven**. Dat betekent dat de bibliotheek in de Windows-Explorer zichtbaar is. Als u echter tientallen bibliotheken hebt, dan is het handig om de minst gebruikte te verbergen om overzicht te houden. Haal daartoe het vinkje weg en klik op **Toepassen**. Daarmee verwijdert u de bibliotheek niet, maar u geeft hem alleen niet meer weer in het Verkennervenster. U maakt de bibliotheek als het ware onzichtbaar. Verder treft u onderaan bij de kenmerken de tekst **Gedeeld**. Dat heeft te maken met het delen van bibliotheken met ander computers in het netwerk. Daar wordt in een ander thema meer aandacht aan gegeven.

Bestanden ordenen in een Bibliotheek
Als u een bibliotheek opent door erop te klikken met uw linkermuisknop, dan kunt u middels het menu achter de tekst **Rang-schikken op:** rechts bovenin het Verken-ner-venster, kiezen hoe u de bestanden wilt

rangschikken. Het deelvenster **Bibliotheek** moet dan wel worden weergegeven. De bibliotheek **Muziek** geeft u bijvoorbeeld de mogelijkheid te rangschikken op **Album** en **Artiest**. Bij de bibliotheek **Video's** kunt u bijvoorbeeld kiezen uit **Duur** en **Type**. En zo zijn er meer mogelijkheden. Dat kan handig zijn, zodat u gemakkelijk bestanden kunt ordenen en dus kunt terugvinden in de bibliotheek.

Zoeken in een Bibliotheek
Als u op bestanden wilt zoeken in een bepaalde bibliotheek, selecteer dan eerst de bibliotheek met uw linkermuisknop, bijvoorbeeld **Afbeeldingen**. Rechts bovenin

Bestanden in een Bibliotheek rangschikken.

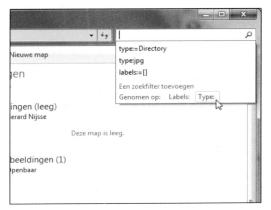

Zoek in een bibliotheek.

de Verkenner zit een zoekvenster, daar komt direct de tekst **Zoeken in Afbeeldingen** in te staan. Geef hier de naam op van het bestand dat u wilt zoeken, of een gedeelte van de naam. Weet u geen naam, dan kunt u ook zoeken op de zoekfilters als **Genomen op**, **Labels** en **Type**. Deze zoekfilters worden actief zodra u de muis in het zoekvenster zet. U kunt deze zoekfilters dan direct aanklikken. Overigens, **Genomen op** geeft de datum weer wanneer de foto genomen is. **Labels** correspondeert met het label dat u wellicht hebt ingevoerd bij de foto en **Type** betreft het type bestand. Bijvoorbeeld JPG. Kortom, als u in het zoekvenster alleen de tekst **type:** selecteert en u tikt er **JPG** achter, dan worden alle bestanden van het type JPG weergegeven die in de bibliotheek aanwezig zijn.

Andere bestanden zoeken

Mocht u een bestand willen zoeken dat niet in een bibliotheek staat, dan kan dat natuurlijk ook. De krachtige zoekmogelijkheden in Windows 7 zijn in het menu Start verweven. Al sinds Vista, maar toch. Klik op de knop **Start** en geef in het vak **Programma's en bestanden zoeken** de term waar u op wilt zoeken.

Instellingen

Het is handig om de Verkenner om maat te snijden. U kunt dat doen in het instellingenscherm van de Verkenner. Klik in de Verkenner links bovenin op de knop **Organiseren** en selecteer **Map- en zoekopties**. In het tabblad **Algemeen** kunt u een aantal interessante zaken aangeven.

Gemakkelijk zoeken naar bestanden en mappen.

Iedere map een eigen venster

Standaard opent iedere nieuwe map in hetzelfde venster in de Verkenner. U kunt uw geschiedenis dan minder handig raadplegen en ook kopiëren van de ene naar de andere map is wat lastig. Handiger is om iedere map in een eigen venster te openen. Mits u niet teveel vensters open hebt, kan dat wat meer overzicht geven. En mocht u het overzicht verliezen, dan kunt u altijd Aero Peek kunt gebruiken. Zie daarvoor het eerste thema. Om alle mappen in een eigen venster te openen, zet u een activeringsrondje voor **Elke map in eigen venster openen**. Verder kunt u in het kader **Op items klikken** aangeven na hoeveel keer klikken u een map of bestand wilt openen. Vertrouwd is natuurlijk dubbelklikken om iets te openen, maar u kunt er ook voor kiezen om een keer te klikken.

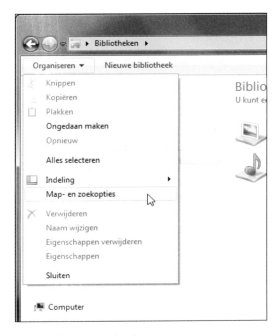

Ga naar Map- en zoekopties.

Iedere map in een eigen venster openen.

Het Navigatiedeelvenster

Nieuw in Windows 7 is het kader **Navigatiedeelvenster**. Standaard als de Verkenner opent, zijn niet alle mappen zichtbaar. Dat wil zeggen: u ziet bijvoorbeeld wel de C-schijf in de Verkenner, maar niet het Configuratiescherm en de prullenbak, of uw eigen gebruikersmap en het bureaublad (daar wordt niet het Bureaublad bij de Favorieten mee bedoeld). Handig is om een vinkje te zetten voor **Alle mappen weergeven**, zodat de Verkenner geen geheimen meer voor u heeft. U krijgt er dan een aantal standaard locaties bij in de Verkenner. Overigens, als u dat doet, dan zult u zien dat bibliotheken onderdeel wordt van het bureaublad. Dat maakt het ook prettiger om ermee te werken.

Verder is het goed om direct een vinkje te zetten voor **Automatisch uitvouwen tot huidige map**. Daarmee geeft u de Verkenner te weten dat als u met de hand een map invoert bovenin het adresvenster (bijvoorbeeld C:\Program Files), het navigatievenster u direct moet volgen en de betreffende map moet uitklappen. Maakt u deze instelling niet, dan navigeert u wel naar C:\Program Files, maar wordt dit niet uitgeklapt in het navigatiedeelvenster. Klik op de knop **OK** om de wijzigingen door te voeren en het venster te verlaten.

Meer mappen weergeven.

Alle bestanden zichtbaar maken

Windows 7 verbergt standaard besturingssysteembestanden, zoals bestanden die nodig zijn om Windows te starten. Verder worden ook extensies voor bekende bestandstypen voor u verborgen gehouden. Bijvoorbeeld, als u een document hebt met naam 'test.doc', dan wordt alleen de naam 'test' weergegeven.

Het verbergen van besturingssysteembestanden kan handig zijn, omdat u dan niet per ongeluk belangrijke bestanden zomaar

Meer overzicht door verborgen bestanden weer te geven en extensies.

kunt wissen. Het verbergen van extensies kan handig zijn voor de orde in de Verkenner. Al die extensies kunnen een rommelig geheel geven.

Toch kan het soms prettig zijn om een goed overzicht te hebben en om verborgen bestanden en mappen weer te geven, evenals de extensies voor bekende bestandstypen.

Klik in de Verkenner op de knop **Orga-**

niseren en ga naar **Map- en zoekopties**. Ga vervolgens naar het tabblad **Weergave** en haal het vinkje weg voor **Beveiligde besturingssysteembestanden verbergen (aanbevolen)**. Negeer de waarschuwing. Haal ook het vinkje weg voor **Extensies voor bekende bestandstypen verbergen**. Tot slot zet u een activeringsrondje bij **Verborgen bestanden, mappen en stations weergeven**. Haal ook gelijk het vinkje even weg voor **Lege stations in de map Computer verbergen**. Dan ziet u niet alleen stations waar inhoud op staat, maar ook de lege. Klik op **OK** en u krijgt voortaan heel wat meer bestanden te zien. Wel zo gemakkelijk. Een waarschuwing is op zijn plaats. Als alle bestanden zichtbaar zijn, kunt u gemakkelijk bestanden wissen die noodzakelijk zijn voor het systeem.

Voorbeeldvenster weergeven

Het is handig als u een voorbeeld krijgt van het bestand waar u op klikt in de Verkenner. U moet daartoe het knopje direct links naast het Helppictogram indrukken, net onder het zoekvenster. Dat is het pictogram met het vraagtekentje erin (niet het menu Help). Natuurlijk kan het voorbeeldvenster niet van alle bestanden worden weergegeven, maar van veel formaten wordt er netjes een overzicht gegeven als u het aanklikt. U kunt

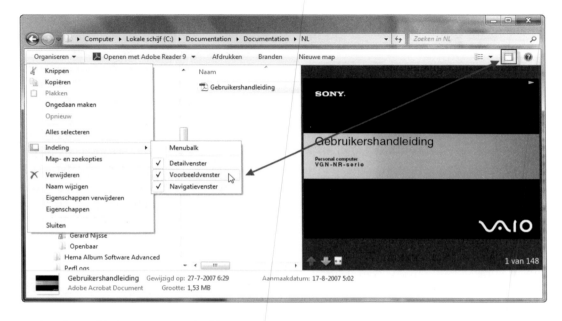

Snel een bestand inzien met een voorbeeldvenster.

het voorbeeldvenster ook activeren door te klikken op de knop **Organiseren** en dan te gaan naar **Indeling** > **Voorbeeldvenster**.

De thuislocatie
Als u onderin de taakbalk op de knop van de Verkenner klikt, wordt het overzichts-scherm gepresenteerd van de Verkenner. Standaard wordt dan **Bibliotheken** geopend. Hoewel dat een prima locatie lijkt om in te

De Explorer met een andere locatie laten openen.

starten, kan het zijn dat u liever een andere locatie opent. Dat kan het werken versnellen. Bijvoorbeeld, het zou kunnen dat als u de Verkenner start, u direct de C-schijf wilt openen. Standaard moet u er dan naartoe navigeren. U kunt dit veranderen door met uw rechtermuisknop op het Verkennerpictogram te klikken en daarna met uw rechtermuisknop op de optie **Windows Verkenner**. Selecteer vervolgens **Eigenschappen** in het menu dat dan zichtbaar wordt. Het doel staat nu ingesteld op '%windir%\explorer.exe'. Als u dat verandert naar '%windir%\explorer.exe /root, C:\', wordt standaard de C-schijf geopend. In plaats van C:\ kunt u iedere willekeurige map opgeven. Klik op **OK** om af te sluiten

HET CONFIGURATIESCHERM

Nu u de gebruikersinterface en de Windows Verkenner onder de knie hebt, is het tijd voor het zwaardere werk: het Configuratiescherm van Windows 7. Vergelijk het Configuratiescherm maar met de boordcomputer in de auto. De motor moet het eigenlijke werk doen, maar de boordcomputer moet de hele zaak op de juiste manier aansturen.

In dit thema wordt het Configuratiescherm behandeld en welke instellingen u kunt maken om het computergebruik te veraangenamen. Helaas gaat het te ver voor dit boek om alle onderdelen en subonderdelen in het Configuratiescherm de revue te laten passeren. Hier worden alleen de meest interessante onderdelen eruit gepikt en beschreven. Maar dat betekent wel dat sommige

opties gewoon links blijven liggen. Dat kan wat onnatuurlijk overkomen, maar er moeten keuzes worden gemaakt. We beperken ons hier zo veel mogelijk tot de nieuwe onderdelen in Windows 7, al worden er ook dingen behandeld die al, vaak in een eenvoudiger vorm, in Vista zaten.

Enkele onderdelen uit het Configuratiescherm komen in een volgend thema aan bod, zoals netwerkmogelijkheden. Die opties worden dan ook met rust gelaten in dit thema. Verder zijn er ook enkele categorieën in het Configuratiescherm die ongemerkt al zijn behandeld in eerdere thema's, zoals Taakbalk en menu Start, Persoonlijke instellingen, Onderhoudscentrum en Systeemvakpictogrammen. Het zal u duidelijk zijn, ook die laat dit thema links liggen.

Zo komt u in het Configuratiescherm

Er zijn meerdere manieren om het Configuratiescherm te openen. De gemakkelijkste manier is door te klikken op de knop **Start** en dan op **Configuratiescherm**. Net als in XP en Vista krijgt u in eerste instantie een categorieweergave van het Configuratiescherm.

Dat betekent dat het scherm is onderverdeeld in – hoe kan het ook anders – verschillende categorieën, zoals **Systeem en Beveiliging**, **Netwerk en Internet**, **Programma's** en ga zo maar door. Iedere categorie heeft vervolgens weer subcategorieën. Op zich ziet het er goed uit en lijkt het handig, maar

Het Configuratiescherm van Windows 7:
Categorieweergave.

Het Configuratiescherm van Windows 7:
Kleine pictogrammenweergave.

het werkt minder prettig. Zeker voor de iets meer ervaren pc-gebruikers van voor het xp-tijdperk. Makkelijker is om alle onderdelen maar direct weer te geven. Dat kunt u doen door rechtsboven in het Configuratiescherm, achter de tekst **Weergeven op**, te

klikken op **Grote pictogrammen**, of **Kleine pictogrammen**. Hier wordt uitgegaan van **Kleine pictogrammen**. In principe gaat u dan naar **Configuratiescherm** > **Alle Configuratiescherm-onderdelen**. Hier wordt daar ook het Configuratiescherm onder verstaan.

Tip **Configuratiescherm openen op een andere manier**

U kunt het Configuratiescherm ook openen in de Verkenner, als u hebt ingesteld dat alle mappen moeten worden weergeven. Hoe dat moet is in het voorgaande thema behandeld.

Het Configuratiescherm is ook toegankelijk via de Verkenner.

Probleemoplossing

Iedereen heeft wel eens problemen met zijn computer. In de begindagen van Windows moest u zelf behoorlijk wat kennis in huis hebben om deze problemen op te lossen. Maar ook hier staat de ontwikkeling niet stil. Vista probeert al een handje toe te steken bij het oplossen van problemen en kent in het Configuratiescherm het onderdeel **Probleemrapporten en oplossingen**. Daarmee kunt u vlot op zoek naar een oplossing voor een bepaald pc-probleem, zoals programma's die plotseling niet meer werken. In Windows 7 is dit onderdeel verbeterd.

Let wel op, als u verder geen problemen ervaart met uw pc, dan hoeft u Probleemoplossing niet actief te gebruiken. Dat neemt niet weg dat het goed is dat u van het bestaan af weet. Verder is het ook goed om er even mee gewerkt te hebben: vroeg of laat zult u misschien toch met problemen te maken krijgen.

Wizards om het probleem op te lossen

Mocht u een probleem hebben met uw pc, dan kunt u naar **Probleemoplossing** in het Configuratiescherm. Probleemoplossing bevat verschillende wizards waarmee problemen op uw computer automatisch kunnen worden opgelost, zoals netwerkpro-

Probleemoplossing in het Configuratiescherm.

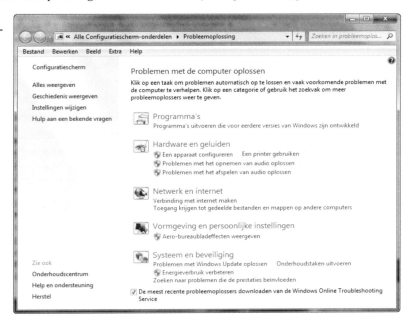

blemen, hardware- en apparaatproblemen, problemen met het gebruik van internet, of problemen met de compatibiliteit van programma's. Deze wizards worden ook wel de **Probleemoplossers** genoemd. Probleemoplossers kunnen niet alle problemen oplossen. Ze zijn ontworpen als eerste hulp bij problemen en u kunt er tijd en energie mee besparen. Probleemoplossing is onder-

verdeeld in vijf categorieën: **Programma's**, **Hardware en geluiden**, **Netwerk en internet**, **Vormgeving en persoonlijke instellingen** en **Systeem en beveiliging**. Als u ergens problemen mee ervaart kunt u de juiste categorie aanklikken.

Zo start u een probleemoplosser

Een voorbeeld. Stel even dat de grafische afwerking niet is zoals die zou moet zijn. U kunt bijvoorbeeld de tips in het eerste thema niet uitvoeren die te maken hebben met Aero Peek: het weergeven van een layout van het bureaublad. Ga dan in **Probleemoplossing** naar het onderdeel **Vormgeving en persoonlijke instellingen** en klik op **Aero-bureaubladeffecten weergeven**. Dat vindt u in het blauw net onder het kopje **Vormgeving en persoonlijke instellingen**. De wizard zal worden gestart. Klik op **Volgende** om een analyse te starten. Windows zal nu

> **Tip** **Probleemoplossingsgegevens up-to-date houden.**
>
> Het is niet onverstandig om onderin het venster **Probleemoplossing** direct een vinkje te zetten bij **De meest recente probleemoplossers downloaden van de Windows Online troubleshooting Service**. U hebt dan altijd de beschikking over de laatste informatie om een bepaald probleem op te lossen.

Zorg voor up-to-date informatie.

 Systeem en beveiliging
Problemen met Windows Update oplossen | Onderhoudstaken uitvoeren
Energieverbruik verbeteren
Zoeken naar problemen die de prestaties beïnvloeden

☑ De meest recente probleemoplossers downloaden van de Windows Online Troubleshooting Service

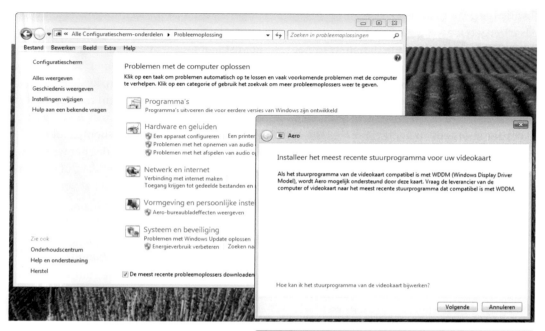

Een gefingeerd Aero-probleem. Windows 7 raadt aan een nieuw stuurprogramma te installeren.

proberen het probleem voor u op te lossen. Aan het einde van de analyse komt het met mogelijke conclusies en actiepunten. Sluit de wizard als u klaar bent.

Uiteindelijk kan er geen oplossing worden gevonden. Klopt helemaal! ▶

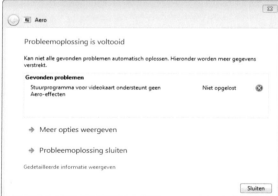

Raadpleeg de geschiedenis

Als u vergeten bent welke probleemoplossers u hebt uitgevoerd, klik dan links in het navigatiedeel op **Geschiedenis weergeven**. Daar krijgt u de geschiedenis van **Probleemoplossing** te zien. Zo kunt u later nog eens terug kijken of een specifiek probleem zich al eerder voorgedaan heeft.

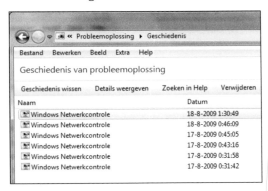

Herstel

Hoewel het heel vervelend is, kan het natuurlijk voorkomen dat er iets mis gaat met uw computer. En nog vervelender, dat het probleem ook niet kan worden opgelost met **Probleemoplos-**

Met Herstel kunt u mogelijk
uw computer repareren.

sing. De reden dat er iets misgaat is doorgaans slecht functionerende software die de pc vast laat lopen, of software die bepaalde andere software laat vastlopen. Soms niet eens direct na het opstarten, maar bijvoorbeeld na enige tijd. Het is dan zaak op zoek te gaan naar de fout. En als u al zover komt dat u de probleemsoftware hebt gelokaliseerd, dan nog kan het zijn dat het verwijderen ervan niet eens mogelijk is, of dat het probleem er nog steeds is na het verwijderen van de probleemsoftware.

Systeemherstel

Met **Herstel** kunt u deze problemen te lijf gaan door de software op de computer naar een eerdere toestand te herstellen. Door in het **Configuratiescherm Herstel** te activeren, krijgt u mogelijkheden om de pc weer op

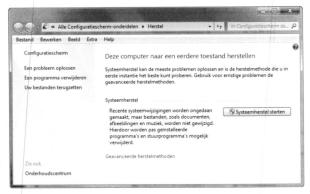

Nog meer wizards om problemen op te lossen.

orde te brengen. De eerste mogelijkheid om de pc te herstellen is middels **Systeemherstel**. Daarbij worden recente systeemwijzigingen ongedaan gemaakt door terug te gaan naar een zogeheten herstelpunt in het verleden.

Herstelpunten worden gemaakt door Windows 7 na bijvoorbeeld de installatie van bepaalde programma's. Voordat het programma wordt geïnstalleerd, wordt eerst de staat van Windows 7 op de computer bewaard. Zie het maar als een foto van de Windows-omgeving op dat moment. Daarna

wordt het programma geïnstalleerd. Omdat er een foto aanwezig is van voor de installatie, kan de computer makkelijk hersteld worden naar de staat voor de installatie.

De computer herstellen

Klik op de knop **Systeemherstel starten** om de wizard te activeren. Het zal enige tijd duren voordat de wizard is gestart, dit is afhankelijk van uw configuratie. Als de wizard is gestart krijgt u een overzichtsscherm te zien met wat uitleg. Afhankelijk van uw verleden wordt er direct een herstelpunt voorgesteld naar wanneer u de computer zou moeten herstellen (**Aanbevolen herstelpunt**). U kunt echter ook zelf een herstelpunt kiezen door een activeringsrondje te zetten voor **Een ander herstelpunt selecteren**. Maar, als Windows 7 net nieuw op de pc staat, kan het zijn dat u deze keuzemogelijkheden niet hebt.

Klik op **Volgende** om naar het volgende scherm te gaan. Hier hebt u de mogelijkheid om het tijdstip te selecteren naar wanneer u de computer wilt herstellen. De systeemwijzigingen die zijn gedaan na dat tijdstip worden dan ongedaan gemaakt. Ofwel, de effecten van de installatie van het programma worden dan ongedaan gemaakt. Selecteer een herstelpunt en klik op **Volgende** om het herstellen te starten. Houd er rekening mee dat dit een rigoureuze actie is die u alleen moet doen als u problemen ervaart.

Uitzoeken welke programma's worden beïnvloed

Als u een herstelpunt aanklikt en u klikt op de knop **Zoeken naar programma's die worden beïnvloed**, dan krijgt u een overzicht te zien welke programma's zijn beïnvloed door de installatie van het betreffende programma (u kunt dit altijd zonder problemen doen). Dat kan u meer inzicht geven in de problemen die u mogelijk ervaart. Bijvoor-

Overzichtsscherm Systeemherstel.

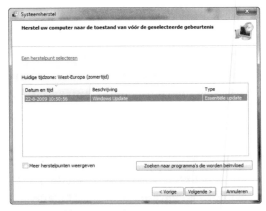

Selecteer zelf een Herstelpunt.

beeld, als programma X niet meer werkt en u ziet dan in het overzicht dat programma X is beïnvloed door een Windows-update, dan weet u hoe laat het is. De update gooit roet in het eten en het is zaak om de computer te herstellen tot voor de update. Klik op **Sluiten** en verlaat de wizard om terug te keren naar Herstel.

Zwaarder geschut om uw systeem te herstellen

Mocht Systeemherstel niet werken, dan kunt u altijd zwaarder geschut gebruiken om uw computer te repareren. Voordat u op de knop **Systeemherstel starten** klikt in het venster **Herstel**, hebt u ook de mogelijkheid om op **Geavanceerde Herstelmethoden** te klikken. Doet u dat, dan krijgt u twee mogelijkheden te zien: **Uw computer herstellen met een systeemkopie die u eerder hebt gemaakt** en **Windows opnieuw installeren (Windows-installatieschijf vereist)**. Met de eerste optie kunt u een back-up van uw complete systeem terug zetten. Dat wil zeggen: een back-up die u zelf hebt gemaakt; die moet u dus wel hebben. Er wordt straks uitgelegd hoe dat moet. Met de tweede optie installeert u Windows 7 opnieuw. Dat is wel de meest rigoureuze optie, want daarbij verliest u al uw gegevens.

Deze programma's worden beïnvloed. Geen, in dit geval.

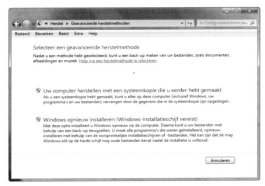

Geavanceerde herstelmethoden voor meer mogelijkheden.

Tip **Zo maakt u een back-up**

Als u de optie **Uw computer herstellen met een systeemkopie die u eerder hebt gemaakt** aanklikt, hebt u direct de mogelijkheid om een back-up te maken. Handig om te doen, zodat u later altijd nog de beschikking hebt over uw bestanden. De back-up wordt gemaakt met Windows Back-up.

In het hoofdvenster van Herstel treft u in het navigatievenster aan de linkerkant ook de mogelijkheid **Uw bestanden terugzetten**. Als u hierop klikt krijgt u ook diverse back-up-mogelijkheden, zoals een complete systeemkopie maken, of een systeemherstelschijf. Dat is een hulpschijf om Windows weer op zijn voeten te zetten, als die niet meer op wil starten bijvoorbeeld.

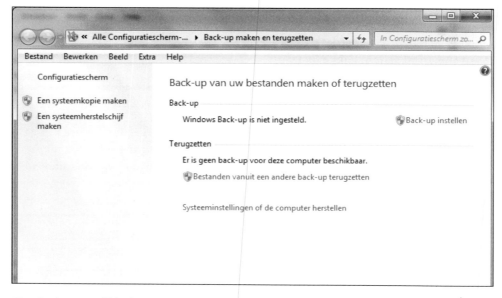

Meer back-upmogelijkheden.

Hulpprogramma's voor en informatie over prestatie

Hulpprogramma's voor en informatie over prestaties in het Configuratiescherm, geeft informatie over de prestatie van uw computer, zoals de prestatie-index. Het uiteindelijke resultaat ban de prestatie-index is de basisscore, een getal. In Vista kan dit getal liggen tussen de 1 en de 5,9. In Windows 7 tussen de 1 en de 7,9. De reden voor de hogere bovengrens is de toegenomen prestaties van de hardware. De prestatie-index is een maat voor de prestatie van uw computer. Natuurlijk leuk vergelijkingsma-

Hulpprogramma's voor en informatie over prestaties.

teriaal om uit te wisselen met anderen. Aan het getal kunt u zien hoe snel uw computer is. Het is goed om te onthouden dat elk hardwareonderdeel een eigen score krijgt: een subscore. De laagste subscore is bepalend voor de basisscore van uw computer. In principe verandert de basisscore niet als u de hardware op uw computer niet veranderd. U hoeft de analyse dus maar een keer uit te voeren.

Hier is de basisscore voor bedacht
Toch heeft Microsoft de prestatie-index niet ontwikkeld om als leuk vergelijkingsmateriaal te dienen. Waar is het wel voor ontwikkeld? U kunt de basisscore gebruiken als een richtlijn waarmee software moet overeenstemmen. Stel, uw computer heeft een basisscore van 3,1, dan kunt u alle software gebruiken, waarvoor een computer met een basisscore van 3 of lager vereist is. Natuurlijk moet die software dan wel compatibel zijn met uw Windows-versie. Uitvoerbaar zo u wilt. U hoeft dan niet meer te kijken naar de systeemeisen voor de software, maar u controleert eenvoudigweg alleen de basisscore met het getal dat op

de doos staat. Toegegeven, doorgaans staan nog steeds eenvoudigweg de systeemvereisten op de softwaredoos vermeld en niet de basisscore.

Zo krijgt u een basisscore

In sommige gevallen kan het zijn dat er nog geen basisscore zichtbaar is. Klik dan even op de knop **Deze computer classificeren** U kunt er ook voor kiezen om alle prestatie-indexgegevens te verwijderen en de berekening opnieuw te laten uitvoeren. Klik daartoe links in het navigatiedeel op **Geavanceerde Hulpprogramma's** en klik op **Alle scores van Windows prestatie-index wissen en het systeem opnieuw beoordelen**. U zou dit bijvoorbeeld kunnen doen als u nieuwe hardware hebt geïnstalleerd, of als u niet zeker bent van de score die is bepaald. U kunt ook onder in het hoofdvenster van **Hulpprogramma's voor en informatie over prestaties** klikken op **De analyse opnieuw uitvoeren**.

Beeldscherm

Onder **Beeldscherm** kunt uw beeldscherminstellingen wijzigen. Als u **Beeldscherm** aanklikt, krijgt u een overzichtsvenster te zien waarin u de tekstgrootte kunt opge-

Beeldscherm in het Configuratiescherm.

ven, zoals 100%, of 125%. Afhankelijk van uw beeldscherm krijgt u er meer opties bij, zoals 150%. Handig voor als u een grotere tekst beter leesbaar vindt. U moet uzelf er wel voor afmelden en weer aanmelden om de andere tekstgrootte actief te maken. Mocht u tijdelijk grotere tekst willen, dan kunt u altijd het vergrootglas gebruiken dat u kunt vinden door te gaan naar knop **Start** > **Alle Programma's** > **Bureau-accessoires** > **Toegankelijkheid** > **Vergrootglas**.

Terug naar **Beeldscherm**. Als u links in het navigatiedeel klikt op **Beeldscherminstellingen wijzigen**, dan wordt het venster voor **Schermresolutie** gestart, dat al eerder bekeken is in het eerste thema. Hier kunt u onder andere de resolutie opgeven.

U kunt op de knop **Geavanceerde Instellingen** klikken om nog meer instellingen te maken met betrekking tot het beeldscherm.

Hulpprogramma's

Naast dit hulpprogramma om de prestatie-index te verwijderen en opnieuw te laten uitvoeren, heeft dit venster nog meer handige programma's, zoals **Prestatiemeter** en **Broncontrole**. Met het eerste programma kunt u grafieken over de prestatie van uw systeem weergeven. Met het tweede krijgt u directe informatie over de bronnen die in gebruik zijn. U moet het maar eens proberen. Voor de experts ook nog deze tip: als u bezig bent en u wilt exacte informatie over hardware en software, klik dan ook even op **Geavanceerde systeemdetails in Systeeminformatie weergeven**. Hier worden direct geheugenadressen en dergelijke weergegeven, en versienummers van stuurprogramma's. Als normale computergebruiker kunt u dit gewoon links laten liggen.

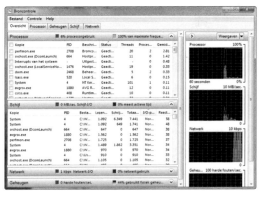

(boven) Hier kunt u de computer opnieuw laten classificeren.
(onder) Gebruik van bronnen weergeven (ook met enkele grafiekjes).

Introductiecentrum

Om Windows 7 beter te leren kennen, kunt u het **Introductiecentrum** starten. Klik daartoe op **Introductie** in het Configuratie-scherm. Daarna ziet u negen onderdelen waar u meer informatie over kunt krijgen. Zo kunt u op een eenvoudige manier snel vertrouwd raken met Windows 7. Handig om mee te beginnen is bijvoorbeeld **Infor-matie over nieuwe onderdelen in Windows 7 online weergeven**. Dat opent Internet Explorer en geeft online informatie van Microsoft weer. Ten tijde van dit schrijven waren er alleen nog maar Engelse introduc-tiepagina's op het internet. Als u dit leest zal dat zeer waarschijnlijk zijn aangepast.

Gebruikersaccounts

In **Gebruikersaccounts** kunt u de gebruikers op uw computer beheren. Standaard komt u in het overzichtsvenster voor de actieve gebruiker. U dus. Als u klikt op **Een ander account beheren**, komt u in het venster Accounts beheren.

Ander account aanmaken

Standaard is het gastaccount uitgeschakeld. Wilt u een ander account maken, zoals voor uw kinderen, klik dan op een **Een nieuw account maken**. Vervolgens moet u kiezen uit een **Standaardgebruiker** of een **Administrator** (beheerder). Als de persoon enkel maar van de pc gebruik hoeft te maken zonder serieuze wijzigingen aan te hoeven brengen, kies dan voor een **Standaardgebruiker**. Die heeft simpelweg minder rechten en kan dan ook minder snel schade aanbrengen dan een Administrator. Geef de gewenste gebruikersnaam in het vak boven de tekst Standaardgebruiker en klik op **Account maken**. Zo kunt u natuurlijk ook kiezen voor een **Administrator** die alle rechten heeft. U kunt

(boven) Gebruikersaccounts in het Configuratiescherm.
(midden) Overzicht van gebruikers op uw computer.
(onder) Een account verwijderen.

met een gerust hart een account aanmaken, u kunt het namelijk ook zo weer verwijderen. Klik daartoe in het venster **Accounts beheren** op het account dat u wilt verwijderen en klik dan op **De account verwijderen**. Als u daarna kiest voor **Bestanden verwijderen** > **Account verwijderen**, worden alle sporen gewist.

Gebruikersaccountbeheer

Het zal u zijn opgevallen dat u in Windows 7 soms dingen moet bevestigen. Bijvoorbeeld, als u een programma installeert wordt u nog even gevraagd of dat inderdaad wel de bedoeling is. Dat is gebruikersaccount-beheer, dat ervoor zorgt dat er geen onge-wenste software op uw computer wordt uitgevoerd waardoor uw machine schade kan oplopen. In Vista kon gebruikersac-countbeheer alleen worden aan- en uitge-zet. In Windows 7 is het beter geregeld, met meer mogelijkheden dan alleen aan en uit.

Gebruikersaccountbeheer uitschakelen

Als u op **Instellingen voor Gebruikersac-countbeheer wijzigen** klikt in het hoofdven-ster voor **Gebruikersaccounts**, krijgt u een nieuw venster. In dat venster kunt u tot op vier niveaus de veiligheid instellen, van het lichtste niveau helemaal onderin (niveau 1), tot het zwaarste niveau helemaal bovenin (niveau 4). Normaal is het derde niveau geselec-teerd: **Standaard**. Windows 7 vraagt om een bevestiging als bepaalde program-ma's wijzigingen aan de computer proberen aan te brengen. Als u het schuifje omhoog trekt en kiest voor het hoogste niveau, krijgt u

Gebruikersaccountbeheer om de pc te beveiligen.

altijd een melding als programma's proberen software te installeren of wijzigingen aan te brengen, of als u wijzigingen in de Windows-instellingen aanbrengt.

Onder niveau **Standaard** kunt u ook twee niveaus lager. Eén niveau onder Standaard, is praktisch hetzelfde als Standaard, alleen wordt het scherm niet gedimd. Die instelling heeft Microsoft ingebouwd omdat het dimmen soms even kan duren.

Als u de schuif helemaal onderaan zet, wordt er nooit meer een melding weergegeven. Af te raden, maar als u al die venstertjes zat bent, kunt u dit niveau selecteren. Gebruikersaccountbeheer wordt dan uitgeschakeld. Om dat te realiseren moet de pc wel opnieuw worden opgestart. Er wordt niet aangeraden om deze instelling te gebruiken. Kies voor **Standaard** of één niveau eronder.

Referenties beheren

Hoe verder internet oprukt, hoe meer netwerkwachtwoorden erbij komen. In Vista zit al een mogelijkheid om netwerkwachtwoorden te beheren. In Windows 7 is deze functie verbeterd. Met referentiebeheer in Windows 7 hebt u de beschikking over een soort digitale kluis waarmee u al uw netwerkwachtwoorden kunt beheren.

Let op! Een misverstand is dat referentiebeheer kan worden gebruikt om in te loggen op allerlei websites waar u een account voor hebt, zoals kruidvat.nl, bol. com en wehkamp.nl. Dat is niet het geval. De wachtwoorden daarvoor kunnen worden opgeslagen in Internet Explorer. Referentiebeheer kan alleen worden gebruikt voor netwerkwachtwoorden. Grofweg betekent het dat het gebruikt kan worden voor die wachtwoorden die moeten worden ingevoerd als er een apart Windows loginscherm wordt gepresenteerd. U kent het wel, als u bijvoorbeeld wilt inloggen op uw router in de gangkast (dat kastje waarmee alle computers zijn verbonden), dan wordt er zo'n venstertje getoond. Om de referenties op te slaan moet u dat wel aangeven

Dit wachtwoord kan worden opgeslagen in de kluis.

Met Referentiebeheer kunt u referenties, zoals gebruikersnamen en wachtwoorden, in kluizen opslaan. U kunt dan eenvoudig bij computers of websites worden aangemeld.

Uw wachtwoorden opslaan in een digitale kluis.

door een vinkje te zetten voor **Mijn referen-ties onthouden.**

Als u rechts in het navigatiedeel van **Gebruikersaccounts** klikt op **Uw referenties beheren,** wordt het referentiebeheerscherm geopend. U zit nu een overzicht van drie onderdelen: **Windows-referenties, Op certificaten gebaseerde referenties** en **Algemene referenties.**

Windows-referenties zijn bijvoorbeeld referenties voor computers in uw netwerk

of domein, bijvoorbeeld de gebruikersnaam en het wachtwoord voor de compu-ter op zolder.

Op certificaten gebaseer-de referenties zult u minder nodig hebben. Een certificaat is een computerbestand dat fungeert als een digitaal paspoort voor de eigenaar van dat bestand en kan dus ook gebruikt worden voor autorisatie.

Algemene referenties zijn de dagelijkse referenties die u op websites invoert, en bijvoorbeeld bij MSN mes-senger (tenminste, als u dat aangeeft in de messenger). U moet het maar proberen.

> **Tip** **Back-up van kluis maken**
>
> Als u een back-up wilt maken van de kluis, klikt u op **Back-up van kluis maken**. Mocht er dan iets misgaan met uw computer, dan kunt u de back-up altijd weer terugzetten. Klik daartoe op de tekst **Kluis terugzetten**.

Systeem

Was het Configuratiescherm de boordcomputer van de auto, dan is het onderdeel **Systeem** de processor van de boordcomputer. Het kloppende hart, zo u wilt. U kunt er een aantal interessante instellingen maken. Als u **Systeem** opent, krijgt u een overzichtsvenster met daarin de **Windows-versie**, **Systeem**, **Instellingen voor computernaam, domein en werkgroep** en **Windows activeren**. Bij **Systeem** staat bijvoorbeeld de

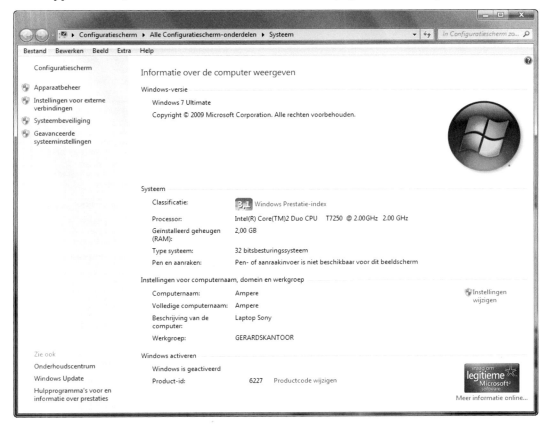

basisscore genoemd, evenals het processor-
type en de hoeveelheid geheugen die in de
pc zit. Ook staat aangetekend of het een 32,
of een 64 bits besturingssysteem is. Links
in het navigatiedeelvenster treft u verschillende mogelijkheden, zoals **Apparaatbeheer**
en **Systeembeveiliging**. Handiger is om te
klikken op **Geavanceerde systeeminstellingen**, u hebt dan direct ook toegang tot de
andere opties. Als u daarop klikt krijgt u de
systeemeigenschappen te zien.

Prestatie-instellingen

In het vak **Prestaties** (tabblad **Geavanceerd**
in **Geavanceerde systeeminstellingen**), onder de knop **Instellingen**, kunt u aangeven
hoe Windows 7 om moet gaan met visuele
effecten, processor- en geheugengebruik
en virtueel geheugen. De diverse grafische
effecten in Windows 7 zijn natuurlijk prachtig. Het nadeel is alleen dat die effecten pro-
cessorkracht vragen. Door de verschillende
effecten uit te zetten, kunt u uw systeem
sneller maken. Zet een activeringsrondje
voor **Beste prestatie** als u de grootst mogelijke snelheid wilt van uw computer. Kan
uw hardware de diverse grafische effecten
wel aan, zet dan een activeringsrondje voor
Beste weergave. Of laat Windows het zelf
besluiten door een activeringsrondje voor

Prestatie-instellingen aanpassen.

Automatisch selecteren. U kunt hier rustig
mee experimenteren zonder dat u wat stuk
maakt. Probeert u maar wat het prettigste
werkt op uw computer.

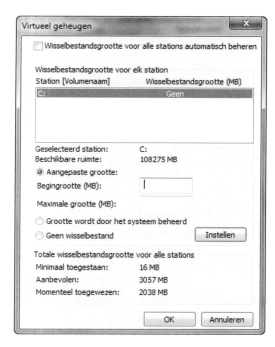

Wisselbestand aanpassen.

Wisselbestand aanpassen

Windows kent een wisselbestand: een soort extra geheugen op de harde schijf. Windows slaat hier tijdelijke – op dat moment minder noodzakelijke – data in op om het echte geheugen wat te sparen. Het echte geheugen is immers veel sneller en kan dus het beste gebruikt worden voor echt dringende zaken. Door dit te doen, wordt

uw pc weer een tikkeltje vlotter. Sterker nog, het tijdelijke geheugen zorgt ervoor dat u dingen kunt doen die u anders niet kunt doen. Normaal is het wisselbestand dynamisch: Windows past automatisch de grootte ervan aan op de harde schijf. Dat kost ook weer snelheid.

Permanent wisselbestand

Een permanent wisselbestand voorkomt dat Windows 7 de grootte van het wisselbestand aanpast waardoor de prestaties van het systeem achteruitgaan. Toegegeven, als u een snelle computer hebt, dan zult u er weinig van merken. Mensen die een wat oudere computer hebben, waar voorheen bijvoorbeeld xp op stond, kunnen hier wel baat bij hebben.

U kunt op de volgende manier een permanent wisselbestand aanmaken. Selecteer het tabblad **Geavanceerd**. Klik op de knop **Wijzigen** in het vak **Virtueel Geheugen**. Haal het vinkje weg voor **Wisselbestandsgrootte voor alle stations automatisch beheren**. Selecteer de schijf waar het wisselbestand nu staat (meestal C:), zet een activeringsrondje voor **Geen wisselbestand** en klik op **Instellen**. De foutmelding kunt u negeren. Klik nu op de schijf waar u het wisselbestand wilt maken (dit kan ook weer C: zijn), en zet een activeringsrondje voor de optie **Aan-gepaste grootte**. Vervolgens geeft u achter de tekst **Begingrootte** en **Maximale grootte een getal in MB. Dat getal is** grofweg gelijk aan twee keer de hoeveelheid geheugen die op uw moederbord zit. Als u bijvoorbeeld 1 GB geheugen in uw systeem hebt (1000 MB), dan geeft u het getal 2 x 1000 = 2000. Klik vervolgens op de knop **Instellen**. Sluit af met **OK**. U krijgt een melding dat u de pc opnieuw moet opstarten. Sluit daarna af door drie keer op **OK** te klikken. Daarna moet u aangeven of u de computer direct of later opnieuw wilt opstarten. Kies wat u het beste vindt op dat moment.

Geen bootmanager meer

Als u Windows 7 hebt geïnstalleerd naast een oudere versie van Windows, zoals Vista, dan kunt u beide besturingssyste-men opstarten. Tijdens het opstarten van de pc, krijgt u dan een venster te zien met de vraag welk besturingsysteem u wilt: Windows 7 of de andere versie. Dat is de zogeheten bootmanager of opstartmanager. Als u geen keuze maakt, start de bootma-nager na dertig seconden het standaardbe-sturingssysteem. Hebt u alleen Windows 7, dan wordt dat direct opgestart en hoeft u niet te wachten.

Instellingen voor de bootmanager.

Wilt u van de vertraging van de bootma-nager af, dan kunt u dat instellen. Klik op de knop **Instellingen** in het vak **Opstart- en herstelinstellingen** (bij **Systeemeigenschap-pen**). Daar kunt u aangeven of de lijst met besturingssystemen moet worden getoond en voor hoe lang. U kunt hier ook het standaardbesturingssysteem aangeven, het besturingssysteem dat wordt gestart als u geen keuze maakt. Als u bijna zeker weet dat u vrijwel altijd Windows 7 opstart,

Tip | **Zet het wisselbestand op een andere harde schijf**

Als u meerdere harde schijven in uw systeem hebt, is het raadzaam het permanente wisselbestand op een andere harde schijf aan te maken. De schijven kunnen onafhankelijk van elkaar functioneren. Bijvoorbeeld, er zullen lezers zijn die twee harde schijven in het systeem hebben. Fysiek dus twee aparte apparaten die zijn ingebouwd in de computer. Verwar dit niet met parties. Eén harde schijf – een enkel apparaat dus – kan meerdere partities bevatten, die ieder met een schijfletter worden aangegeven in de Windows Verkenner, zoals C, D en E. Al deze partities staan echter fysiek op hetzelfde apparaat. Nee, hier worden echt twee aparte apparaten bedoeld. Ieder apparaat kan ook weer meerdere partities hebben, zoals C, D en E op de eerste harde schijf en F en G op de tweede harde schijf.

Als u inderdaad twee harde schijven hebt, is het raadzaam om het wisselbestand op de schijf actief te maken waar Windows niet op staat. Ofwel, stel dat u op beide apparaten één partitie hebt , dan is de eerste harde schijf gewoonlijk C in de Windows Verkenner en de tweede harde schijf gewoonlijk D. U moet dan het wisselbestand op D maken, als Windows op C staat.

selecteer deze dan in de lijst (klik op het pijltje rechts om het te selecteren) en zet de vertraging op 1 seconde in plaats van 30. De eerstvolgende keer dat Windows wordt gestart, wordt er direct doorgestart met Windows 7. Haal in het vak **Systeemfouten** ook direct het vinkje weg voor **De computer automatisch opnieuw opstarten**. Als er dan een serieuze fout wordt geconstateerd door Windows, wordt niet direct de pc opnieuw opgestart. Klik op **OK** om te bevestigen.

Hardware

In het tabblad **Hardware** treft u **Apparaatbeheer** aan. Als u op de knop **Apparaatbeheer** klikt, krijgt u een overzicht van de hardware in uw pc. Dat is op zich niet zo heel interessant. Pas wanneer het misgaat met de hardware, dan kan het interessant zijn om hier een blik op te werpen. U kunt bijvoorbeeld zien of hardware op de juiste manier is geïnstalleerd. Sluit af met het rode kruisje als u klaar bent.

▲ *Het tabblad Hardware in Systeem.*

▼ *Gegevens automatisch downloaden.*

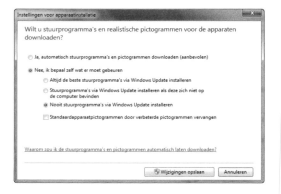

In het tabblad **Hardware** hebt u ook het vak **Instellingen voor apparaatinstallatie**. Als u op de gelijknamige knop klikt in dat vak, krijgt u een overzichtscherm waarin u kunt kiezen wat er moet gebeuren met stuurprogramma's en pictogrammen.

Een stuurprogramma zorgt ervoor dat de computer kan communiceren met apparaten, zoals een harde schijf en een muis. Met Windows kunt u verder pictogrammen met hoge resolutie downloaden voor veel apparaten die u aansluit, samen met informatie over de apparaten, zoals de productnaam en de fabrikant.

Het handigste is om te kiezen voor **Ja, automatisch stuurprogramma's en pictogrammen downloaden (aanbevolen)**. U krijgt dan altijd de juiste informatie op uw computer. Mocht u liever meer controle willen, dan kunt u ook kiezen voor **Nee, ik bepaal zelf wat er moet gebeuren**. Daarna kunt u de gewenste keuzes aangeven, zoals **Nooit stuurprogramma's via Windows Update installeren** en het vinkje weg te halen voor **Standaardapparaatpictogrammen door verbeterde pictogrammen vervangen**. Klik op **Wijzigingen opslaan** om uw wijzigingen door te voeren. Klik op **OK** om helemaal af te sluiten.

Energiebeheer

Een energiebeheerschema is een verzameling instellingen (voor hardware
en systeem) die wordt gemaakt om het
energieverbruik van uw computer in te
stellen. U kunt bijvoorbeeld instellen dat
u een minimaal energieverbruik wilt om
zo de levensduur van de batterij te sparen.
Hoewel een schema uitermate geschikt lijkt

voor laptops die niet altijd op de netspanning zijn aangesloten, kan het ook van pas
komen voor computers die wel altijd zijn
aangesloten op de netspanning.

Let op, er worden hier mogelijkheden
besproken die afhankelijk zijn van uw
hardware. Kijk er niet vreemd van op als u
een bepaalde optie niet hebt die wel wordt
besproken, of andersom.

Beheerschema's
Als u in het Configuratiescherm naar Energiebeheer gaat, dan ziet u onder de tekst

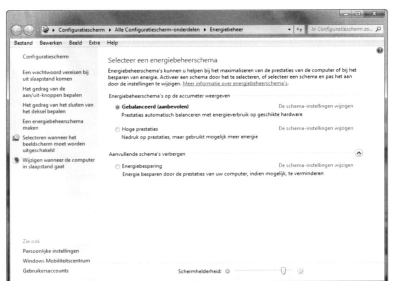

**Selecteer een ener-
giebeheerschema** drie
energiebeheersche-
ma's staan: **Gebalan-
ceerd, Hoge prestaties**
en **Energiebesparing**.
Als het laatste schema
niet zichtbaar is, moet
u even op het pijltje
naar beneden klik-
ken achter de tekst
**Aanvullende schema's
weergeven**. Mocht
het zo zijn dat de drie

*Energiebeheer in het
Configuratiescherm.*

De instellingen zijn uitgeschakeld.

energiebeheerschema's vaag zijn (*greyed out*, zoals dat heet), klik dan onderin op **Instellingen wijzigen die momenteel niet beschikbaar zijn**. Dat kan bijvoorbeeld gebeuren als u op afstand contact legt met een computer.

Dit betekent het

Het schema Energiebesparing zal op een afwisselende manier met het energieverbruik omgaan. Bijvoorbeeld, als de processor te heet wordt en normaal gesproken de koeling zijn werk moet doen, dan voorkomt het energiebesparende schema dat door de processorsnelheid te verlagen (uw hardware moet dat wel ondersteunen). Daardoor koelt de processor af, wat als resultaat heeft dat de koeler niet aanslaat. En dat bespaart weer energie.

Het schema Hoge Prestaties laat de processor altijd op 100 procent zijn werk

doen, met maximale koeling. Een nadeel is natuurlijk dat dit meer energie vraagt.

Dan is er ook nog het Gebalanceerde schema, dat een soort mix is tussen de schema's Energiebesparing en Hoge Prestaties. Daarbij wordt de processorsnelheid niet direct naar beneden gezet als de processor te heet wordt, maar wordt eerst de koeling ingeschakeld.

Schema wijzigen of aanpassen

Het schema Gebalanceerd is standaard actief. U ziet er een activeringsrondje voor staan. Wilt u dit schema wijzigen naar een ander schema, zet dan een activeringsrondje voor het schema dat u wilt activeren. Daarna kunt u energiebeheer verlaten door op het rode kruisje rechts bovenin te klikken. Wilt u de instellingen voor een bepaald schema naar uw eigen smaak aanpassen, dan kunt u achter het schema klikken op de tekst **De schema-instellingen wijzigen**. Het klikken op deze mogelijkheid heeft hetzelfde effect als links in het navigatievenster klikken op **Selecteren wanneer het beeldscherm moet worden uitgeschakeld**, of **Wijzigen wanneer de computer in slaapstand gaat**. Deze twee opties zijn een soort

Een schema wijzigen.

snelkoppelingen naar **De schema-instellingen wijzigen**.

Afhankelijk van de hardware, hebt u hier een aantal mogelijkheden. Gewoonlijk treft u hier in elk geval Het beeldscherm uitschakelen na en De computer in slaapstand zetten na. Er kunnen echter meer mogelijkheden zijn. Hebt u bijvoorbeeld een laptop, dan kunt u hier mogelijk ook vinden Het beeldscherm dimmen en De helderheid van het plan aanpassen. Verder treft u bij een laptop de mogelijkheden voor zowel Accu als Netstroom. Bij een normale computer is het alleen netstroom. Dat betekent dat u bij

een laptop de instellingen kunt maken voor als de laptop op de accu werkt en voor als de laptop op netspanning werkt.

Geavanceerde energie-instellingen

Klik onderin op **Geavanceerde energie-instellingen wijzigen** om geavanceerde energie-instellingen te kunnen maken. Klik in het nieuwe venster op **Instellingen wijzigen die nu niet beschikbaar zijn**, dan weet u zeker dat u alle mogelijkheden kunt instellen. In het rolmenu onder deze tekst treft u de naam van het schema waarvan u de instellingen kunt aanpassen. Daaronder kunt u instellingen maken met betrekking tot de slaapstand, harde schijf, USB, aan/uit-knoppen, beeldscherm, processor en ga zo maar door. De opties spreken voor zich, u moet er maar doorheen lopen en onderdelen naar eigen idee aanpassen. Als u onder in het venster klikt op de knop **Standaardinstellingen voor schema gebruiken**, krijgt u alle oude instellingen weer terug. U hoeft niet bang te zijn

▲ Geavanceerde energie-instellingen maken.

dat u iets kapot maakt; in het ergste geval is de batterij van uw laptop gewoon snel leeg. Klik op **OK** om af te sluiten.

Maak zelf een schema

Als u zaken gaat aanpassen is het beter om zelf een schema te maken op basis van een bestaand schema. Op die manier hoeft u bestaande schema's niet te wijzigen. Ofwel, u creëert een vierde schema. Ga opnieuw naar **Energiebeheer** in het Configuratiescherm. Klik links op **Een energiebeheerschema**

maken en kies in het nieuwe scherm welk schema u als uitgangspunt wilt nemen.

Geef vervolgens onderin het vak **Naam van het schema:** een toepasselijke naam voor dit nieuwe schema. Klik op **Volgende** om door te gaan. Maak dan uw basisinstellingen met de mogelijkheden die in het venster staan en klik op de knop **Maken**. Uw schema zal nu tussen de andere schema's

▼ Zelf een energiebeheerschema maken.

▲ Kies een schema waar u vanuit wilt gaan.

▼ Het nieuwe schema staat tussen de andere schema's.

staan en zijn geactiveerd.

Klik op **De schema-instellingen wijzigen** achter het nieuwe schema en vervolgens op **Geavanceerde energie-instellingen wijzigen**, om ook dit schema naar uw smaak aan te passen. Klik vervolgens op **OK** om uw wijzigingen vast te leggen. Klik daarna op

Wijzigingen opslaan, of, als die knop niet aanstaat op **Annuleren**. Daarna kunt u Energiebeheer verlaten.

Schema verwijderen

Wilt u het schema verwijderen, ga dan opnieuw naar **Energiebeheer**. Selecteer nu eerst een ander schema om dit actief te maken en om zo uw eigen schema te deactiveren. Klik vervolgens op **De schema-instel-**

U kunt een schema verwijderen.

lingen wijzigen van uw schema. Linksonder in het nieuwe venster is de knop **Dit schema verwijderen** beschikbaar. Daarmee kunt u het weer uit de lijst halen.

Wachtwoord vragen

Wilt u dat de computer om een wachtwoord vraagt als de pc uit de slaapstand komt, ga dan links in het navigatiedeel van Energiebeheer naar **Een wachtwoord vereisen bij uit slaapstand komen**. Klik in het nieuwe venster in het kader **Wachtwoordbeveiliging tijdens uit de slaapstand komen** op **Instel-**

▲ Wachtwoordbeveiliging.

▼ Het Windows Mobiliteitscentrum.

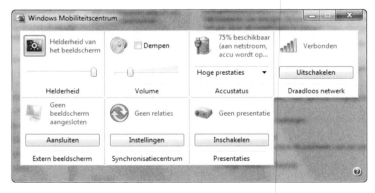

lingen wijzigen die momenteel niet beschikbaar zijn en maak uw keuze door een activeringsrondje te zetten voor **Een wachtwoord vereisen (aanbevolen)**, of **Geen wachtwoord vereisen**. In dit venster kunt u ook instellen wat er moet gebeuren met de aan/uit-knop. Klik op **Wijzigingen opslaan** om de veranderingen door te voeren, of op **Annuleren** als u geen wijzigingen hebt gemaakt.

Overigens, linksonder in het navigatievenster van Energiebeheer hebben laptops ook de optie Windows Mobiliteitscentrum. In dat centrum kunt u in één oogopslag de status zien van de verschillende hardware, maar kunt u ook heel snel aanpassingen maken, zoals het energieschema kiezen, de helderheid van het beeldscherm aanpassen en het geluidsniveau aanpassen.

Ouderlijk toezicht

Al heel jong leren kinderen met de computer omgaan. Met een pc met onbeperkte internettoegang kan er heel wat rotzooi worden binnengehaald, variërend van verkeerde internetsites tot slechte programma's. Met Ouderlijk toezicht in het Configuratiescherm kunt u het pc-gebruik van uw kinderen aan banden leggen. De kinderen moeten dan wel een account hebben op de computer (als standaardgebruiker). De mogelijke restricties worden namelijk op het account gezet. Hebben uw kinderen nog geen account, dan is het goed dat te maken in Gebruikersbeheer. Eventueel kunt u het maken in **Ouderlijk toezicht**, daar hebt u ook de mogelijkheid om een account te maken. Klik daartoe onderin op **Een nieuw gebruikersaccount maken** in het venster **Ouderlijk toezicht**.

Als er een account is, kunt u in **Ouderlijk toezicht** op de naam het van account van uw kind klikken en een activeringsrondje zetten voor **Ingeschakeld: huidige instellingen toepassen**. U kunt vervolgens de restricties zetten met betrekking tot Tijdslimie-

▲ *Ouderlijk toezicht instellen.*   ▼ *Schakel ouderlijk toezicht in.*

ten, Spellen en Specifieke programma's toestaan en blokkeren.

Tijdslimieten

Klik op **Tijdslimieten**. Klik met de muisaanwijzer de blokken aan wanneer de computer niet mag worden gebruikt. Als u de linkermuisknop vasthoudt kunt u meerdere blokken tegelijk selecteren door de muis eroverheen te slepen. Klik op **OK** als u tevreden bent met uw instellingen. Achter Tijdslimieten komt te staan Ingeschakeld. Als er

Geen pc-gebruik van maandag tot en met vrijdag van 21:00 uur in de avond tot 09:00 uur in de morgen.

geprobeerd wordt om in te loggen op een verboden tijdstip, dan zal er een foutmelding volgen. Er kan niet worden ingelogd.

Spellen

Klik op **Spellen** om de restricties voor het spelen van spellen aan te geven. U kunt in het nieuwe venster aangeven dat er helemaal geen spellen mogen worden gespeeld (zet een activeringsrondje voor **Nee**), of dat er wel spellen mogen worden gespeeld (zet een activeringsrondje voor **Ja**). Kiest u voor dat laatste, dan kunt u de classificatie instellen door op de tekst te klikken **Spelclassificaties instellen**. U krijgt een nieuw venster waarin u kunt opgeven welke leeftijdscategorie spellen er mogen worden gespeeld. Dat spel moet dan wel geclassificeerd zijn volgens het classificatiesysteem dat is geselecteerd (straks meer over hoe u dat systeem kunt aanpassen). Zet een activeringsrondje voor de gewenste leeftijdscategorie. Helemaal onderaan in het venster, in het vak Deze typen inhoud blokkeren, kunt u meer instellingen maken. Ondanks dat een spel aan de classificatie kan voldoen, kunt u hier aangeven dat u **Geweld**, of **Grof taalgebruik** gewoon niet wilt. Het spel kan dan ook niet worden gespeeld. Verder kunt u bovenaan het venster aangeven wat er moet gebeuren met niet-geclassificeerde spellen. Sluit af door twee keer op **OK** te klikken. Als u op de tekst **Specifieke spellen blokkeren of toestaan** klikt, kunt u andere specifieke spelinstellingen maken.

Spelclassificatie

Door links in het navigatievenster van Ouderlijk toezicht te klikken op **Systemen voor spelclassificaties weergeven**, kunt u het gewenst spelclassificatiesysteem aangeven. Standaard is PEGI geselecteerd, maar u zou kunnen overwegen om dit te veranderen. Normaal is dat echter niet nodig.

Er mogen wel spellen worden gespeeld.

Maak een keuze voor de leeftijd.

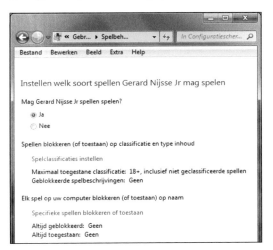

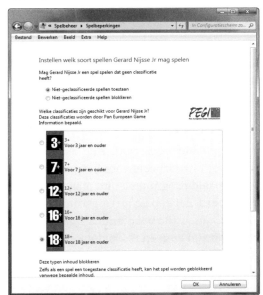

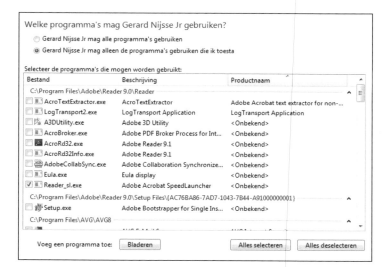

Selecteer de programma's die mogen worden uitgevoerd.

gebruiken die ik toesta. Er komt een nieuw kader met een lijst van alle programma's. Het kan enige tijd duren voordat de lijst is gevormd. U kunt vervolgens een vinkje zetten voor het programma dat u toestaat. Andere programma's worden geblokkeerd. Als u dus nergens een vinkje voorzet, dan mogen geen van de programma's in het lijstje worden uitgevoerd. Hier zit bijvoorbeeld ook de Mediaspeler tussen, Wordpad, de MSN Messenger en Windows Mail. Onderin het venster kunt u programma's toevoegen die niet in de lijst staan door op de knop **Bladeren** te klikken en het juiste programma aan te geven. Door op de knoppen **Alles selecteren**, **Alles deselecteren** te klikken, kunt u alle programma's in de lijst selecteren, of deselecteren. Dit kan wel even puzzelen zijn. Weet u het niet zeker, dan kunt u deze restrictie beter niet zetten. Klik op **OK** om af te sluiten en nogmaals op **OK** om terug te keren naar Ouderlijk toezicht.

Specifieke programma's

Hoewel u de zaken nu al redelijk aan banden hebt gelegd, kunt u nog een stapje verder gaan. Klik op **Specifieke programma's toestaan en blokkeren** om de restricties voor bepaalde programma's op te geven. U kunt er bijvoorbeeld voor kiezen dat een bepaald programma niet mag worden uitgevoerd. Zet een activeringsrondje voor **<Naam> mag alle programma's gebruiken**. Dan zijn er geen restricties. <Naam> is de gebruikersnaam waar u de instellingen voor maakt. Zet een activeringrondje voor **<Naam> mag alleen de programma's**

Automatisch afspelen

Bij automatisch afspelen in het Configuratiescherm kunt u instellen wat er moet gebeuren als er bepaalde media of apparaten worden gedetecteerd door Windows 7. Bijvoorbeeld, als er een audio-cd wordt ingelegd, dan kunt u overwegen om deze direct af te spelen met de Windows Mediaspeler. Of als er een blu-ray-schijf wordt ingelegd, kunt u deze direct afspelen met een programma als PowerDVD, om maar

Automatisch afspelen in het Configuratiescherm.

eens wat te noemen. Als u dat programma hebt, natuurlijk. En jawel, u leest het goed: Windows 7 ondersteunt inderdaad blu-ray-schijven. U hebt wel een blu-ray-speler in uw computer nodig. Voor afbeeldingen kunt u overwegen om direct de bestanden weer te geven.

Maak uw keuzes

Zorg ervoor dat er bovenin een vinkje staat voor **Automatisch afspelen voor alle media en apparaten gebruiken**. Het venster is opgedeeld in twee vakken: Media en Apparaten. Klik op het rolmenu achter ieder media- of apparaatonderdeel om de gewenste actie te bepalen. U kunt er natuurlijk ook voor kiezen om helemaal niets te doen. Selecteer daartoe in het rolmenu de optie **Geen actie ondernemen**. Klik op **Opslaan** als u klaar bent met uw wijzigingen en deze wilt opslaan. Mocht u helemaal geen gebruik willen maken van automatisch afspelen, haal dan het vinkje weg voor **Automatisch afspelen voor alle media en apparaten gebruiken**. Hebt u dingen

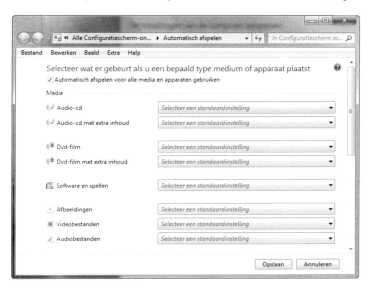

Standaardwaarden instellen.

veranderd, maar wilt u toch weer terug naar de oude waarden, klik dan onderin op de knop **Standaardwaarden instellen**. Uw instellingen worden dan ongedaan gemaakt en de standaardwaarden worden geladen. Helemaal onderin treft u het vak apparaten. Hier staan mogelijke apparaten die zijn gedetecteerd door Windows 7. En ook daarvoor kunt u bepalen wat u precies wilt doen. Klik op **Opslaan** om uw wijzigingen vast te leggen en af te sluiten

Locatiesensoren en andere sensoren

Sensoren zijn apparaten die informatie kunnen geven over onder andere de locatie van de computer en de omgeving. Een voorbeeld is een GPS-ontvanger, zoals u die ook in de auto hebt. Programma's op de computer kunnen deze informatie gebruiken en u zo helpen bij bepaalde taken, zoals het vinden van een restaurant, bijhouden waar u bent geweest, of zelfs de route voor u bepalen. Een ander voorbeeld is een lichtsensor die het licht in uw omgeving detecteert en op basis daarvan de helderheid van het beeldscherm kan aanpassen. Er zijn twee typen sensoren: de sensoren die zijn ingebouwd in de computer, zoals een bewegings- of

Er zijn geen sensoren geïnstalleerd.

versnellingssensor en de sensoren die zijn verbonden met de computer, zoals een GPS-ontvanger via Bluetooth, of een weerstation. In Windows 7 is er nu ondersteuning voor dit soort sensoren. Meer informatie over deze nieuwe technologie kunt u vinden op **www.microsoft.com/whdc/device/sensors/default.mspx** (Engelstalig).

Indexeringsopties

Windows 7 houdt gegevens bij van bestanden op de harde schijven om het zoeken naar gezochte bestanden te versnellen. Anders gezegd, Windows 7 maakt van tevoren al een inventarisatie van bepaalde bestanden op uw pc. Deze gegevens worden opgeslagen op de harde schijf. Als u op zoek bent naar een specifiek bestand, of een bestand met bepaalde eigenschappen, dan hoeft Windows 7 niet – op dat moment – de hele harde schijf af te speuren. Het kan snel even in de inventarisatielijst kijken of daar tussenstaat wat met uw zoekactie correspondeert.

Locaties voor indexeren

Klik op **Indexeringsopties** in het Configuratiescherm om de mogelijkheden voor het

Deze locaties worden geïndexeerd.

indexeren aan te passen. U krijgt een overzichtsvenster van de locaties die worden geïndexeerd op de computer. Met andere woorden, op die locaties kijkt Windows 7 dus om de index samen te stellen.

Klik op de knop **Wijzigen** om een locatie toe te voegen of te verwijderen. Als u direct onderin even klikt op de knop **Alle locaties weergeven**, dan weet u zeker dat u niets mist.

Zet in het kader **Geselecteerde locaties wijzigen** een vinkje voor de locatie die u wilt indexeren. Haal het vinkje weg voor de locaties die u niet wilt indexeren. De harde schijfstations kunt u uitklappen door op het pijltje ernaast te klikken. Uw wijzigingen worden zichtbaar in het kader **Samenvatting van geselecteerde locaties**. Klik op **OK** als u klaar bent met uw wijzigingen.

Geavanceerde instellingen

Klik op de knop **Geavanceerd** voor geavanceerde instellingen. Hier kunt u bijvoorbeeld aangeven dat u ook versleutelde bestanden wilt indexeren, of dat de index moet worden verwijderd en weer opnieuw moet worden aangemaakt. Dat kan handig zijn als er iets niet in orde lijkt met indexeren. Houd er rekening mee dat het even kan duren voor de index is gemaakt. Als u op de

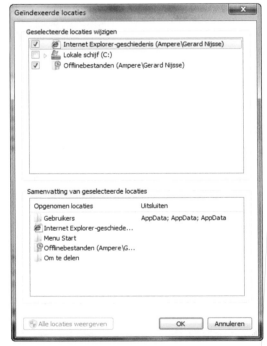

Wijzig de indexeringslocaties.

Geavanceerde opties voor indexeren.

knop **Opnieuw samenstellen** klikt, krijgt u dan ook een waarschuwing van Windows dat het mogelijk lang kan duren. Als de computer aan het indexeren is, dan kunt u op de knop **Onderbreken** drukken in Indexeringsopties om het indexeren te onderbreken. Indexeren houd overigens rekening met de activiteit op de computer. Als u druk zit te werken, zal het indexeren stilletjes in de achtergrond werken. Als de computer niets staat te doen, dan zal het indexeren vlotter werken. Als het indexeren klaar is, ver-

schijnt de tekst Indexeren is voltooid. Als u op de knop **Onderbreken** klikt, verschijnt de tekst Indexeren is onderbroken.

Bestandstypen

In het tabblad Bestandstypen bij Geavanceerde instellingen kunt u aangeven welke type bestanden moeten worden geïndexeerd en of u alleen eigenschappen wilt indexeren, of ook inhoud. Wilt u alleen

Met de knop Onderbreken kunt u het indexeren onderbreken.

De bestandstypen selecteren.

eigenschappen indexeren, zet dan een activeringsrondje voor **Alleen eigenschappen indexeren**. Wilt u eigenschappen en inhoud indexeren, zet dan een activeringsrondje voor **Eigenschappen en inhoud van het bestand indexeren**. Nieuwe extensies kunt u toevoegen door in het kader **Nieuwe extensie aan de lijst toevoegen** een extensie te tikken en vervolgens op **Toevoegen** te klikken. Daarna kan het bestand ook worden geïndexeerd.

Systeembeheer

Voor het onderhoud aan de computer is het onderdeel Systeembeheer onontbeerlijk. Als u op **Systeembeheer** klikt, gaat het echter iets anders dan met andere onderdelen in het Configuratiescherm. De Verkenner wordt geopend met in het navigatievenster een aantal locaties, waaronder de locaties in het Configuratiescherm. Rechts in het overzichtsvenster treft u alle systeembeheeronderdelen.

Computerbeheer
Open **Computerbeheer**. Er wordt een nieuw venster geopend dat in het navigatiedeel de categorieën Systeemwerkset, Opslag en Services en toepassingen laat zien. Bij Systeemwerkset treft u enkele handige gereedschappen om de computer te beheren, zoals Prestaties, de Taakplanner en Apparaatbeheer. Handig zijn ook de logboeken waarmee u kunt nagaan welke acties er de afgelopen tijd hebben plaatsgevonden. Met **Gedeelde mappen** > **Shares** krijgt u snel inzicht in de mappen die zijn gedeeld.

Opslag
Bij Opslag treft u Schijfbeheer waarmee u uw schijven kunt beheren. U kunt bijvoor-

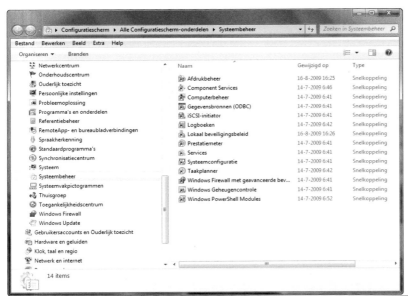

Systeembeheer in het Configuratiescherm.

Het onderdeel Computerbeheer in Systeembeheer.

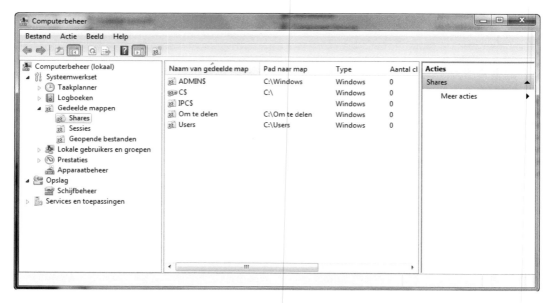

Schijfbeheer in Computerbeheer.

beeld stationsletters en paden wijzigen, volumes verkleinen en verwijderen, formatteren en noem maar op. Klik met uw rechtermuisknop op de schijf van uw keuze voor een menu met mogelijkheden. Tot slot, bij Services en toepassingen treft u gegevens over de services (een soort van programma's die in de achtergrond werken) die actief zijn op uw computer en de verschillende toepassingen. Klik op het rode kruisje om Computerbeheer te verlaten.

Systeemconfiguratie

Bij Systeemconfiguratie in Systeembeheer kunt u systeeminstellingen maken. Het programma richt zich hoofdzakelijk op instellingen tijdens het opstarten van de computer. U kunt Systeemconfiguratie ook starten door te gaan naar de knop **Start** en dan **msconfig** in het kader **Programma's en bestanden zoeken** te tikken, gevolgd door een enter. Systeemconfiguratie kent meerdere tabbladen: Algemeen, Computer opstarten, Services, Opslaan en Hulpprogramma's.

Maak systeeminstellingen met systeemconfiguratie.

TABBLAD ALGEMEEN

In het tabblad Algemeen kunt u de op-startmethode selecteren. Standaard staat die op Normaal: alle stuurprogramma's en services laden. U kunt echter ook kiezen voor Diagnostisch opstarten en Selectief opstarten. Diagnostisch opstarten zult u weinig gebruiken, maar Selectief opstarten is handig. Daarmee kunt u bepaalde onderdelen in- en uitscha-kelen. U hoeft hier echter geen active-ringsrondje te zetten. Selectief opstar-ten wordt automatisch geselecteerd als u straks dingen aanpast.

TABBLAD COMPUTER OPSTARTEN

Naast het tabblad Algemeen, is het tabblad Computer opstarten geplaatst.

Hier kunt u opstartopties aangeven. Zo kunt u bijvoorbeeld opstarten in veilige modus, met netwerkondersteuning. Zet daartoe een vinkje voor **Opstarten in veilige modus** en zet vervolgens een activeringsrondje voor **Netwerk**. Andere mogelijkheden zijn dat u informatie kunt weergeven over het opstarten van het besturingssysteem tijdens het starten, of dat u met standaard video-mogelijkheden wilt starten, of bijvoorbeeld dat u de logboekregistratie al direct tijdens het opstarten van Windows laat lopen. Als u op de knop **Geavanceerde opties** klikt, dan hebt u zelfs de mogelijkheid om het aantal processors op te geven dat moet worden gebruikt en de maximale hoeveelheid geheugen. Stel dat u een prachtige nieuwe

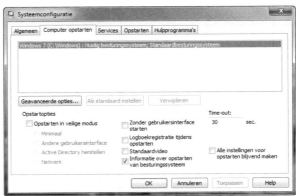

Het tabblad Opstarten in Systeemconfiguratie.

computer hebt met 4GB geheugen en u wilt weten hoe Windows 7 werkt met bijvoorbeeld slechts 512MB geheugen, dan kunt u dat hier aangeven.

TABBLAD SERVICES

Een ander handig tabblad is Services. Hier kunt u aangeven welke services er moeten worden uitgevoerd. Hier moet u wel voorzichtig mee omspringen. Zet niet zomaar services uit waarvan u niet weet wat het is. Voor u het weet hebt u de functionaliteit van uw pc deels platgelegd.

TABBLAD OPSTARTEN

In het tabblad Opstarten staan de programma's die worden uitgevoerd tijdens het opstarten van de computer. U kunt de vinkjes weghalen voor de programma's die u niet nodig hebt. Zorg ervoor dat u alleen de noodzakelijke progamma's uitvoert. Soms is het een beetje puzzelen welk item waar voor staat, maar het loont de moeite. Zet bijvoorbeeld Skype uit, onnodige muisprogramma's, Acrobat-

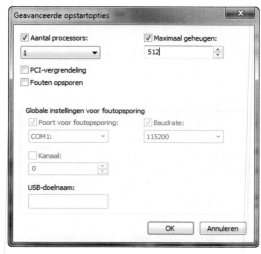

▲ Geavanceerde opstartopties.

▼ Opstartinstellingen instellen.

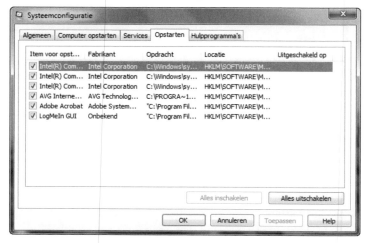

zaken, Apple QuickTime enzovoort. Handig is om na de installatie van een programma gelijk even te controleren of er een item is bijgekomen in de lijst.

TABBLAD HULPPROGRAMMA'S
Mocht u meer hulp nodig hebben, dan kunt u in het tabblad Hulp-programma's een hulp-programma opstarten,

zoals het Onderhoudscentrum, Logboeken, Systeeminformatie en Computerbeheer. Let op: in tegenstelling tot de andere tabbladen is dit tabblad meer een verzamelplaats van handige programma's die u kunt uitvoeren. Selecteer een programma en klik op de knop **Starten** om een programma te starten.

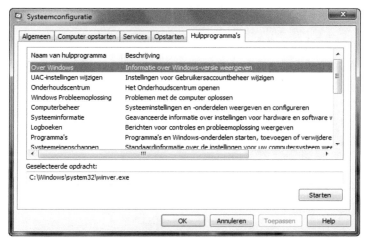

Hulpprogramma's in Systeemconfiguratie.

NETWERKEN

De netwerkondersteuning is sinds XP met sprongen vooruit gegaan. XP was goed, Vista beter en Windows 7 weer een heel stuk beter. Windows 7 kent nieuwe onderdelen met betrekking tot netwerken.

Omdat netwerken steeds belangrijker worden, wordt daar in dit thema uitvoerig op ingegaan. Niet alleen leert u uit dit thema hoe u zelf bestanden en printers kunt delen, maar ook hoe u uw computer onzichtbaar kunt maken in het netwerk en hoe u eenvoudig een Thuisgroep kunt maken. Daarmee kunt u bijvoorbeeld supersnel bibliotheken delen met andere Windows 7-computers.

In dit thema wordt er aangenomen dat uw computer een netwerkverbinding heeft en dat er meerdere computers in het netwerk zijn aangesloten. Hebt u maar één computer, dan heeft een netwerk ook niet zoveel zin. Overigens is het voor dit thema geen vereiste dat u een internetverbinding hebt. Hier wordt verder aangenomen dat u Windows 7 op alle computers in het netwerk hebt geïnstalleerd. Vaak zullen dingen ook werken op bijvoorbeeld Vista, maar we gaan uit van Windows 7. Houd er rekening mee dat dit een lastig thema is en dat het wellicht enige moeite kost om deze tekst door te komen.

Netwerkcentrum

De tekst gaat hoofdzakelijk in op de onderdelen Netwerkcentrum en Thuisgroep in het Configuratiescherm.

Pictogram netwerk in het systeemvak

Na de start van Windows 7 treft u rechtsonder in het systeemvak een pictogram **Netwerk** aan. Het uiterlijk van dit pictogram hangt af van of het een draadloze verbin-ding is of een bekabelde verbinding. Als de verbinding werkt en u op dit pictogram klikt, dan krijgt u de gegevens van de verbinding te zien. Hebt u een draadloos netwerk en bent u nog niet verbonden, dan kunt u hier ook verbinding maken.

Basisnetwerkgegevens

Als u op het pictogram klikt, verschijnt er een kader en kunt u onder in dat kader het Netwerkcentrum openen door op de tekst **Net-**

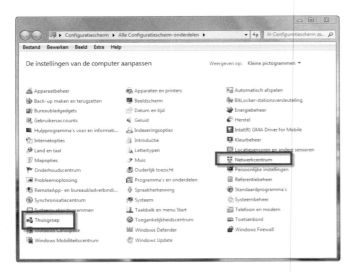

Thuisgroep en Netwerkcentrum zijn de uitgangspunten in dit hoofdstuk.

Uw verbinding

Het eerste pictogram van links representeert uw computer (deze computer), daarnaast een pictogram dat het netwerk thuis representeert. Eenvoudig gezegd, dat netwerk wordt gewoonlijk gevormd door het apparaat waar de computer op is aangesloten, zoals het kabel- of ADSL-modem van uw provider. Of misschien wel een eigen router. Idealiter heb-

werkcentrum openen te klikken. Na het starten van Netwerkcentrum, krijgt u een overzichtsvenster met daarin meer gegevens over uw netwerk. U vindt de gegevens onder de tekst **Basisnetwerkgegevens weergeven en verbinding instellen**. Gewoonlijk ziet u hier drie pictogrammen.

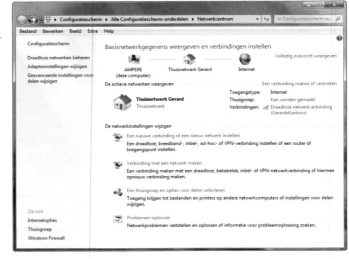

Netwerkcentrum in het Configuratiescherm.

ben andere computers in het netwerk ook verbinding met dit apparaat. Het feit dat alle computers verbinding hebben met dat apparaat, maakt dat ze met elkaar kunnen communiceren en dus dat er een thuisnetwerk mogelijk is. Het wordt allemaal wat eenvoudig gesteld, maar u begrijpt dan in elk geval wat dit tweede pictogram representeert. Het laatste, meest rechtse, pictogram representeert de eigenlijke internetverbinding. Dat is meestal de verbinding vanaf het apparaat naar buiten, naar het internet. Mocht een verbinding tussen de computer en het apparaat, of tussen het apparaat en het internet, niet in orde zijn, dan komt er een rood kruis te staan door de verbindingslijn tussen de betreffende pictogrammen.

Geavanceerde details

Wilt u geavanceerde details, klikt dan op de tekst **Volledig overzicht weergeven** naast het Internetpictogram. U krijgt dan een nieuw venster. Als uw computer meerdere netwerkaansluitingen heeft, dan staat hier de tekst **Netwerkoverzicht van**, met daarachter de geselecteerde netwerkaansluiting in een rolmenu (bijvoorbeeld draadloos, of kabel). Kies een netwerk en het overzicht zal worden gegenereerd. Heeft uw computer maar één aansluiting, bijvoorbeeld alleen een bekabelde

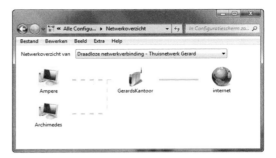

▲ *Geavanceerde details over de netwerkverbinding, hier met rolmenu.*

▼ *Een ander voorbeeld van geavanceerde details, nu zonder rolmenu.*

aansluiting, dan hebt u dit rolmenu niet. Als u meerdere computers in uw thuisnetwerk hebt aangesloten, dan kunt u deze andere computers ook in het overzicht zien staan. Draadloze verbindingen worden gekenmerkt door gestippelde lijntjes. Bekabelde netwerken door vaste lijntjes. Hebt u een draadloze verbinding, dan ziet u duidelijk de naam van het draadloze netwerk waar u mee verbindt. Dat is waar de gestippelde lijntjes naartoe gaan. Afhankelijk van uw configuratie kan het zijn dat onder in het venster apparaten staan die niet direct in het overzicht kunnen worden geplaatst, bijvoorbeeld omdat de netwerkinstellingen op dat andere apparaat het niet toelaten het apparaat in het overzicht op te nemen.

Ga terug naar Netwerkcentrum door op de terugknop te klikken rechtsboven in het venster.

Verschillende acties in het netwerkcentrum

Als u in Netwerkcentrum op de computernaam klikt (het eerste pictogram van links), dan wordt de Verkenner geopend in het onderdeel Computer. Als u op het tweede pictogram klikt, dan wordt ook de Verkenner geopend, maar dan in het onderdeel Netwerk. Als de instellingen dat al toelaten, krijgt u hier direct de computers te zien die aanwezig zijn in het netwerk. Afhankelijk van uw configuratie ziet u hier ook multimedia-apparaten. Met deze apparaten – die ook vaak computers zijn in het netwerk, of bijvoorbeeld een Xbox 360 – kunt u mediabestanden delen, zoals afbeeldingen, audio en video. Dat wordt uitgelegd in het volgende thema, waar wordt ingegaan op de verschillende pictogrammen. Daar wordt ook gedemonstreerd hoe er audio en video kan worden overgestuurd tussen twee computers (*streamen* zoals dat heet). Het kan zijn dat u meer onderdelen hebt in dit scherm, dat is helemaal afhankelijk van uw configuratie. Tot slot, als u in het Netwerkcentrum op het pictogram **Internet** klikt, dan wordt Internet Explorer geopend. U kunt dan gelijk zien of uw internetverbinding naar tevredenheid werkt. Verlaat het Netwerkcentrum door op het rode kruisje te klikken.

Computernaam veranderen

Uw computer heeft een computernaam. Als u die zelf niet hebt opgegeven, dan

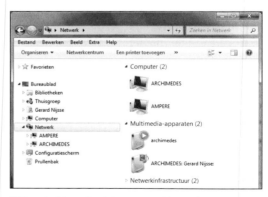

Klik op het tweede pictogram en Netwerk wordt geopend in de Verkenner.

is er een naam door Windows 7 toegekend. Verstandig is om deze computernaam aan uw smaak aan te passen. Ga in het Configuratie-scherm naar **Systeem** en klik links in het navigatievenster op **Geavanceerde systeeminstellingen**. In het vorige hoofdstuk is dat al aan bod gekomen. Klik nu op het tabblad **Computernaam**. Als u dat handig vindt, kunt u een beschrijving van de computer geven. Bijvoorbeeld, 'Mijn werkcomputer', of de 'Computer op zolder', of wat u ook leuk vindt. Het geeft extra informatie mee aan de betreffende computer. Klik vervolgens op de knop **Wijzigen** onder in het venster. In het vak **Computernaam** kunt u een computernaam opgeven. Dit is een unieke naam voor de pc in het netwerk. Kies een naam die u zelf wilt. In bedrijven worden bijvoorbeeld vaak Star Wars-namen geselecteerd, Bijbelse namen, of namen van wetenschappers. Bedenk in ieder geval iets waarbij u de verschillende computers uit elkaar kunt houden.

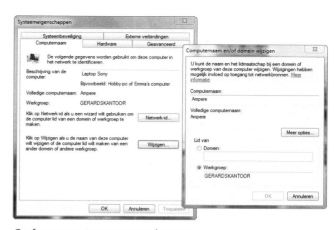

Geef uw computer een passende naam.

Werkgroep

U moet zich voorstellen dat computers in een thuisnetwerk doorgaans deel uitmaken van een werkgroep en computers in een bedrijfsnetwerk doorgaans onderdeel zijn van een domein. Twee verschillen tussen een werkgroep en een domein zijn de volgende. In een werkgroep zijn alle computers gelijk en zijn er geen computers die controle over andere computers hebben. In een domein zijn er vaak een of meerdere servers die de controle hebben. Ook heeft iedere computer binnen een thuisnetwerk bepaalde gebruikersaccounts, die kunnen verschillen. Binnen een domein kunt u met dezelfde gebruikersnaam/wachtwoord-combinatie op alle computers in het domein inloggen. Het is verstandig en gemakkelijk om alle computers binnen uw thuisnetwerk binnen dezelfde werkgroep te laten vallen. Dat geeft het minste kans op netwerkconflicten.

Werkgroep aanpassen

Zet een activeringsrondje voor **Werkgroep** en geef een geschikte werkgroepnaam op in het kader. Klik op **OK** om te bevestigen. Het zal even duren, maar dan krijgt u een welkomstboodschap. Klik opnieuw op **OK**. U krijgt een nieuw venster waarin u wordt verteld dat de wijzigingen pas na opnieuw opstarten van kracht worden. Klik op **OK** en vervolgens op **Sluiten** en tot slot op **Nu opnieuw opstarten**. U kunt er natuurlijk ook voor kiezen om later opnieuw op te starten. Klik daartoe op de knop **Later opnieuw opstarten**. Als u direct opnieuw opstart, hebt u het maar gehad.

De computer moet opnieuw worden opgestart om de wijzigingen van kracht te laten worden.

Snel netwerkproblemen oplossen.

Hebt u problemen?

Mocht u problemen ervaren met uw netwerkverbinding, dan kunt u natuurlijk Probleemoplossing erop naslaan (zie het vorige thema). Maar ook vanuit het Netwerkcentrum kunt u Probleemoplossing starten. Onder in het venster treft u de tekst **Problemen oplossen**. Als u daarop klikt wordt Probleemoplossing geopend in het onderdeel Netwerk en internet. U kunt dan snel een keuze maken voor de juiste wizard om het probleem te lijf te gaan.

Netwerknaam wijzigen

Ga terug naar het Netwerkcentrum. In het kader **De actieve netwerken weergeven** van Netwerkcentrum treft u de actieve verbindingen. U vindt dit kader direct onder het pictogram '(deze computer)'. U kunt op het netwerkpictogram (het huisje) klikken om de naam van het netwerk te veranderen. Een standaard naam die wordt gegeven is Netwerk. Als u op het pictogram klikt, krijgt u een overzichtsvenster waarin u kunt kiezen voor een **Netwerknaam**. Deze naam heeft verder niets heeft te maken met de werkgroep, of de computernaam. Dit is de naam voor het Windows 7-thuisnetwerk.

Verder kunt u hier ook het netwerkpictogram wijzigen. Bent u het standaardpictogram zat, dan kunt u het aanpassen door op de knop **Wijzigen** te klikken. Als u klaar bent, klikt u op **OK**.

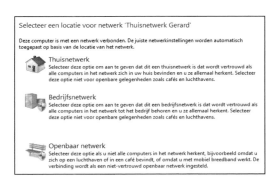

Kies de juiste netwerklocatie

Kies het juiste netwerk

Onder uw gekozen netwerknaam staat wat voor soort netwerklocatie het is, ook wel het profiel geheten. Doorgaans zal dat Thuisnetwerk zijn, maar er zijn meer mogelijkheden. Klik daartoe op de knop **Thuisnetwerk** om alle opties weer te geven. U ziet nu Thuisnetwerk, Bedrijfsnetwerk en Openbaar netwerk. Op basis van het gekozen netwerk worden de netwerkinstellingen gezet, zoals het delen van bestanden. Het kan natuurlijk voorkomen dat u op een laptop werkt, die u af en toe meeneemt naar uw bedrijf. Dan kunt u thuis voor het Thuisnetwerk kiezen en op het bedrijf voor het Bedrijfsnetwerk. En mocht u uw laptop ook wel eens meenemen op reis, dan is het goed om te weten dat er ook een Openbaar netwerk is dat u kunt

De naam voor het Windows-netwerk.

selecteren, bijvoorbeeld op een vliegveld, of in een hotel. De netwerkinstellingen worden dan nog scherper afgesteld. Dat wil zeggen: de verschillende zogenaamde deelopties van een profiel worden anders ingesteld. U kunt natuurlijk ook besluiten de verschillende deelopties zelf aan te passen. U selecteert dan een profiel en daarna maakt u zelf aanpassingen.

Geavanceerde instellingen voor delen

Links in het navigatievenster van Netwerkcentrum vindt u de optie **Geavanceerde instellingen voor delen wijzigen**. Als u daarop klikt, wordt een nieuw venster gepresenteerd. In dit venster kunt u de deelopties voor de verschillende profielen wijzigen. In principe staan er twee profielen, 'Thuis of werk' en 'Openbaar'. Achter het profiel dat actief is staat '(huidig profiel)'. Hier wordt

Deelopties voor netwerkprofielen wijzigen.

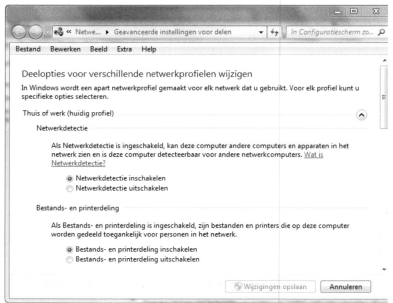

uitgegaan van het profiel Thuis of werk. De deelopties die behandeld worden, zijn ook aanwezig in het openbare profiel, ze zijn alleen anders ingesteld. Als u op het pijltje aan de rechterkant van het profiel klikt, worden de verschillende mogelijkheden uitgeklapt (als dat nog niet het geval is). Omdat het belangrijk is om deze deelopties te weten, worden ze hier stuk voor stuk behandeld.

Netwerkdetectie

Als uw computer wordt aangesloten op het netwerk, dan kunt u ervoor kiezen om de computer detecteerbaar te maken. Dat is niet iets om te doen in publieke gelegenheden, maar voor thuis is het prima. Dat detecteerbaar maken heet Netwerkdetectie: andere computers kunnen uw computer zien en uw computer kan andere computers zien. Tweerichtingsverkeer als het ware. Als u uw computer niet bekend wilt maken en u wilt ook geen andere computers zien, dan is het zaak om Netwerkdetectie uit te schakelen. Zet dan een activeringsrondje voor **Netwerkdetectie uitschakelen**. Let wel, ook al is de computer detecteerbaar, dan nog kunnen mensen er niet zonder meer gegevens vanaf halen. Daar is meer voor nodig. Als u het Thuisnetwerk hebt geselecteerd, is netwerkdetectie standaard aangezet. Staat het uit en wilt u netwerkdetectie inschakelen, zet dan een activeringsrondje voor **Netwerkdetectie inschakelen**. Klik onderin het venster op **Wijzigingen opslaan** als u klaar bent.

Bestands- en printerdeling

Dit onderdeel zal weinig uitleg behoeven. Als u bestands- en printerdeling inschakelt, houdt dat in dat u bestanden en printers met andere computers kunt delen. Als u dit niet

 Tip **Netwerkinstellingen stroomlijnen**

Voordat u gaat experimenteren met de instellingen is het goed om de netwerkinstellingen wat te stroomlijnen. U kunt een aantal dingen doen om problemen te voorkomen. En let op, dit zijn geen harde eisen, maar het kan uw netwerkervaring verbeteren. Zorg ervoor dat alle computers in het netwerk zijn aangesloten op hetzelfde apparaat, zoals het ADSL-modem van de internetprovider, of wellicht een eigen router. Dat geeft de garantie dat alle computers eenzelfde soort netwerkadres krijgen; een uniek adres. Handig is ook om herkenbare computernamen te hebben en een juiste werkgroep. Tot slot, zorg ervoor dat de computers allemaal de locatie Thuisnetwerk hebben.

inschakelt, kunt u dat niet. Ofwel, ook al hebt u netwerkdetectie aanstaan, als bestands- en printerdeling niet aanstaan kunnen mensen geen toegang krijgen tot bestanden en mappen op de bewuste computer. Bestands- en printerdeling moet altijd aanstaan om bestanden van de pc te kunnen benaderen vanaf een andere pc. Overigens is het goed mogelijk om de netwerkdetectie uit te schakelen en het delen van bestanden en printers niet. Andere computers zien dan uw computer niet. Maar als ze de naam van de computer weten, kunnen ze er wel bestanden en printers mee delen. Natuurlijk, als u netwerkdetectie hebt uitgeschakeld ziet uw computer andere computers ook niet en weet u ook niet wat er zich in het netwerk afspeelt. Verbinding maken met andere computers is dan ook onhandiger. Zet een activeringsrondje voor **Bestands- en printerdeling inschakelen** om de deling in te schakelen. Wilt u het uitschakelen, kies dan voor **Bestands- en printerdeling uitschakelen**. Klik daarna onder in het venster op **Wijzigingen opslaan**.

Openbare mappen delen

Openbare mappen zijn openbaar in de zin dat ze bedoeld zijn voor iedereen op het netwerk. Als u bestands- en printerdeling hebt ingeschakeld, dan hebben alle personen in het netwerk toegang tot de openbare mappen. Dat wil zeggen, alle personen met een account op de computer waar de openbare map op staat. Als u de openbare map wilt benaderen hebt u dus nog steeds een gebruikersnaam en een wachtwoord nodig op die computer. Later kunt u aangeven dat u de map voor iedereen toegankelijk wilt maken (dus ook zonder account).

Als u openbare mappen wilt delen zet u een activeringsrondje bij **Delen inschakelen, zodat iedereen met netwerktoegang bestanden in de openbare mappen kan lezen en schrijven**. Wilt u het uitschakelen, zet dan een activeringsrondje voor **Openbare mappen delen uitschakelen (gebruikers die op deze computer zijn aangemeld hebben nog steeds toegang tot deze mappen)**. Klik daarna onderin het venster op **Wijzigingen opslaan**.

Mediastreaming

Met Windows 7 hebt u de mogelijkheid om eenvoudig media te delen met andere computers in het netwerk. Dit onderdeel wordt uitvoeriger behandeld in het volgende thema.

Verbindingen voor het delen van bestanden

Als iemand zou inbreken op uw netwerk, maar niet direct toegang heeft tot de bestanden op de pc, dan nog zou hij het netwerkverkeer dat voorbij komt, kunnen ontcijferen. In Windows 7 worden de verbindingen tussen de verschillende computers versleuteld. Dat betekent dat, ook al zou u worden afgeluisterd, een inbreker niets met de afgeluisterde gegevens kan. Het is immers versleuteld: onherkenbaar gemaakt. Windows 7 maakt gebruik van een 128-bits versleuteling. Een vorm van versleuteling die niet gemakkelijk te ontcijferen valt. Het zou echter kunnen dat sommige apparaten in het netwerk deze vorm van versleuteling niet ondersteunen. Door een activeringsrondje te zetten voor **Delen van bestanden inschakelen voor apparaten die 40-bits- of 56-bitsversleuteling gebruiken**, doet Windows een stapje terug en maakt dat gebruik van een lichtere vorm van versleuteling. Klik daarna onder in het venster op **Wijzigingen opslaan**. Standaard kunt u het beste de 128-bits versleuteling aan laten staan.

Met wachtwoord beveiligd delen

Als u Met wachtwoord beveiligd delen inschakelt, hebben alleen die mensen die ook een account hebben op de pc waar u op deelt, toegang tot de bestanden. Standaard staat dit geactiveerd en staat er een activeringsrondje voor **Met wachtwoord beveiligd delen inschakelen**. Dus ook voor openbare mappen is er een gebruikersnaam en een wachtwoord nodig op de pc, anders vallen ook deze niet in te zien vanaf een andere computer.

Als u een activeringsrondje zet voor **Met wachtwoord beveiligd delen uitschakelen**, dan heeft iedereen toegang tot gedeelde bestanden, printers en openbare mappen.

Dat wil zeggen, en nu wordt het nog lastiger, alleen als u deze gedeelde bestanden en printers ook hebt gedeeld voor iedereen. Bij openbare mappen is dat zo. U moet het zo zien.

Als u een map deelt, dan kunt u tijdens het delen de personen opgeven die toegang tot de map krijgen. Dat kan een persoon zijn, dat kunnen meerdere personen zijn, maar dat kan ook iedereen zijn. Echter, wie u ook toegang verleent, als u een activeringsrondje hebt staan voor **Met wachtwoord beveiligd delen inschakelen**, dan kunnen nog steeds slechts die mensen een map inzien die een account hebben op de pc. Iemand moet dus rechten én een account hebben.

Een voorbeeld. Stel dat u met wachtwoord beveiligd delen inschakelt en dat u een map deelt voor iedereen. Dat betekent dat bijvoorbeeld persoon Hans Hansen, die een account heeft op de pc, inderdaad toegang kan krijgen vanaf een andere pc. Maar dat betekent ook dat zijn vrouw Hanka Hansen, die geen account heeft op de pc, geen toegang krijgt. Als u met wachtwoord beveiligd delen nu uitschakelt, dan heeft Hanka ook toegang.

Verbindingen met een thuisgroep

Let op dat de thuisgroep alleen werkt voor Windows 7-computers en niet voor andere computers zoals Windows xp- en Windows Vista-pc's. Dit is een nieuwe Windows 7-mogelijkheid die gemakkelijk is om snel bestanden en mappen te delen. Hier wordt niet dieper op ingegaan, houd het activeringsrondje gewoon voor **Verbindingen met de thuisgroep door Windows laten beheren (aanbevolen)**.

Zelf een map delen

Allemaal reuze interessant natuurlijk, die opties voor het delen, maar hoe moet u nu eigenlijk zelf bestanden delen zodat ze zichtbaar worden op andere computers? Met andere woorden, wat moet u doen om ervoor te zorgen dat de mappen op de ene computer ook echt zichtbaar zijn op de andere computer.

Kies de map die u wilt delen
Stel dat u in de zogenaamde root van de C-schijf een nieuwe map hebt gemaakt die als naam heeft 'OmTeDelen'. Ofwel, u hebt de map C:\OmTeDelen aangemaakt. Klik met uw rechtermuisknop op de map en selecteer **Eigenschappen**.

Ga nu naar het tabblad **Delen** en klik op de knop **Delen**. Vervolgens krijgt u een venster

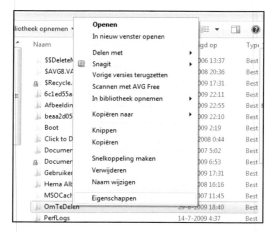

▲ Klik met uw rechtermuisknop op de map OmTeDelen.

▼ Klik op de knop Delen.

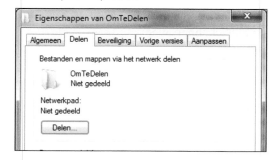

te zien waarin u de personen moet aangeven die toegang hebben tot deze specifieke map. Standaard heeft de eigenaar al toegang tot de map. U ziet in het venster de naam staan met het machtigingsniveau. Voor de eigenaar van de map (u zelf) is het machtigingsniveau Eigenaar. In het vak boven Naam, kunt u een naam intikken. Het moet wel iemand zijn met een account op de computer. Of u kunt op het

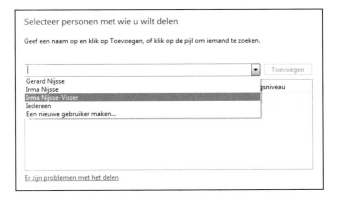

Selecteer personen met wie u wilt delen

Geef een naam op en klik op Toevoegen, of klik op de pijl om iemand te zoeken.

	Toevoegen

Gerard Nijsse
Irma Nijsse
Irma Nijsse-Visser
Iedereen
Een nieuwe gebruiker maken...

sniveau

Er zijn problemen met het delen

Kies de persoon die u toegang wilt verlenen.

Tip **Voor iedereen delen**

U kunt er ook voor kiezen om Iedereen rechten te geven. 'Iedereen' is iedereen die de pc via het netwerk kan benaderen. Tenminste, als u met wachtwoord beveiligd delen hebt uitgezet, anders kunt u de map wel voor iedereen openzetten, maar dan nog mogen alleen de mensen met een account de mappen benaderen.

pijltje naar beneden klikken aan de rechterkant. Dat geeft een lijst van mogelijkheden. Klik op degene die u toegang wilt verlenen. Of, als u al een Thuisgroep hebt, kunt u ook de hele Thuisgroep toegang verlenen. Met de naam Thuisgroep deelt u deze map dan met de complete thuisgroep (later meer hierover). Selecteer een naam en klik op de knop **Toevoegen**.

Machtigingsniveau instellen
Vervolgens kunt u bij **Machtigingsniveau** aangeven of het alleen **Lezen** moet zijn, of **Lezen/schrijven**. Bij de eerste mogelijkheid kan er alleen gelezen worden wat er op de andere computer staat. Bij de tweede mogelijkheid kan er worden gelezen en geschreven. Binnen een thuisnetwerk kiest u gemakshalve voor lezen en schrijven.

Klaar, klik nu op **Delen** om de map te delen. Vervolgens klikt u op de knop **Gereed** en tot slot klikt u op **Sluiten**. De map is nu gedeeld. Vanaf een andere computer kan er nu toegang worden gekregen. De map is alleen toegankelijk voor de persoon waar de toegang voor is ingesteld en voor de eigenaar.

Kies het juiste machtigingsniveau.

Draadloze netwerken

Tot zover heeft de tekst netwerken in het algemeen behandeld. Daar draadloze netwerken populair zijn en nog steeds aan populariteit winnen, een aparte paragraaf in dit boek over deze netwerken.

Overzichtslijst draadloze netwerken

Als u een draadloze netwerkkaart in uw systeem hebt en u klikt rechtsonder in het systeemvak op het pictogram **Netwerk**, dan krijgt u een overzichtsvenster van alle draadloze netwerken. Uw draadloze netwerkkaart (of welk draadloos apparaat u ook hebt in uw computer: USB-stick, PCMCIA-kaart, enzovoort) moet daarvoor natuurlijk wel werken. De netwerken die dan worden weergegeven zijn de netwerken die zich binnen het bereik van de netwerkkaart bevinden. Het zijn de netwerken die uw draadloze netwerkkaart ziet. Achter de naam van een draadloos netwerk staat een pictogram in de vorm van balkjes dat aangeeft hoe sterk het signaal is dat uw draadloze netwerkapparaat oppikt. Wilt u de lijst vernieuwen, klik dan op het pictogram rechts bovenin (met de twee pijltjes naar boven en naar beneden).

Als het goed is, moet de naam van uw draadloze netwerk hier ook tussen staan.

Klik op het pictogram met de pijltjes om de netwerklijst te vernieuwen.

Deze naam heet ook wel de Service Set Identifier (SSID). Die is ingesteld in het apparaat dat de draadloze verbinding maakt. Als u zelf niets hebt ingesteld, dan kunt u in de handleiding van uw draadloze apparaat zien wat de standaardnaam is.

U kunt vervolgens klikken op de verbinding in de lijst om de verbindingsmogelijkheden uit te klappen. Klik op de knop **Verbinding maken** om daadwerkelijk verbinding te maken. Zet ook direct een vinkje voor **Automatisch verbinding maken**, zodat de volgende keer dat u de pc opstart, er direct verbinding wordt gemaakt.

Als u uw netwerk beveiligd met het WEP- (redelijk), WPA- (beter) of WPA2-protocol (nog beter), houd dan de gegevens om in te loggen bij de hand.

*Verbinding maken door op
de knop te klikken.*

Zo houdt u indringers buiten de deur

Als u uw netwerk niet beveiligd hebt, dan is het zaak dat zeer snel te doen. Anders kan het gebeuren dat anderen van uw verbinding gebruik kunnen maken, in kunnen loggen op uw draadloze netwerk en mogelijk uw gegevens kunnen stelen. Nog te vaak maken mensen een draadloos netwerk zonder het behoorlijk te beveiligen. Soms gemakzucht, maar meestal omdat het een lastig karwei is. Toch is het zeer aan te raden om de verbinding degelijk te beveiligen en het zou zelfs kunnen lonen om er een deskundige bij te halen. Als u niet beveiligt en er ontstaat schade, dan bent u nog verder van huis. Daarom een paar tips om uw verbinding te beveiligen.

Beveiligingsmethoden

De volgende onderdelen moet u instellen in uw draadloze apparaat. Draadloze hardware verschilt per fabrikant en per apparaat. Er kan hier dus niet exact worden aangegeven waar u de instellingen moet maken. Het beste is om de handleiding van uw draadloze apparaat erbij te pakken om te kunnen achterhalen waar u moet zijn. Om u een handje te helpen, hier wel enkele aanwijzingen voor een eerste opzet.

Eerst moet u inloggen op het draadloze apparaat. Gewoonlijk doet u dat door met Internet Explorer te gaan naar het adres ervan, zoals **http://192.168.0.1**, of **http://192.168.1.254**. Het standaardadres staat in de handleiding van uw draadloze apparaat. Vervolgens moet u als beheerder inloggen op het apparaat met de beheerdersnaam en het beheerderswachtwoord. Na het inloggen komt u in het onderhoudsscherm. U moet dan op zoek naar de draadloze instellingen. Daar kunt u direct het SSID invullen. Kies die zorgvuldig (geen straatnaam, huisnummer, of ander herkenningspunt). Verder is er veelal een onderdeel beveiliging, draadloze beveiliging, of iets soortgelijks (zie ook de schermafbeelding). Daar kunt u de verdere beveiligingsinstellingen opgeven.

Als het even kan, zet dan in ieder geval

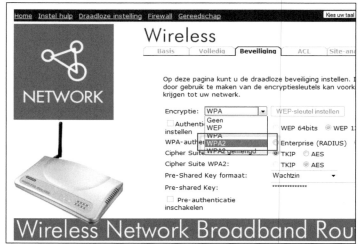

apparaat ergens in het midden van de woning in een kast neer te zetten om het bereik naar buiten te beperken. Mocht u het toch lastig vinden om uw draadloze hardware in te stellen, dan kunt u altijd een deskundige inschakelen.

Onbeveiligde netwerken
Draadloze netwerkverbindingen waarbij een geel schildje staat in het venster met de draadloze netwerken, zijn onbeveiligde netwerken. Iedereen kan ermee verbinden. Buiten dat u zelf geen netwerk wilt hebben dat onbeveiligd is, wilt u ook niet verbinden met een netwerk dat niet veilig is. Het lijkt verleidelijk hiermee

Zorg ervoor dat u uw toegangspunt goed beveiligt.

de WPA-versleuteling aan. WEP-versleuting is minder geschikt. Nog beter is WPA2-versleuteling. Houd er rekening mee dat deze vormen van versleuteling wel ondersteund moeten worden door uw hardware. Filter ook op MAC-adressen (een MAC-adres is een uniek nummer van het netwerkapparaat dat verbinding maakt) zodat alleen *uw* apparaten verbinding kunnen leggen met het draadloze apparaat. Dit filter treft u veelal onder het kopje ACL, Access Control List: de lijst van unieke adressen die zijn toegestaan. Tot slot is het aan te raden om uw draadloze

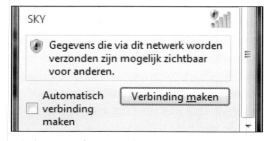

Windows 7 geeft op meerdere manieren te kennen dat het niet pluis is.

te verbinden, maar het kan gevaarlijk zijn. Allereerst maakt u gebruik van een ander netwerk. Dat betekent dat uw computer wellicht zichtbaar is op dat andere netwerk. Verder gaat alle verkeer niet-versleuteld over dat netwerk heen en ander mensen zouden het dus zo af kunnen luisteren.

Een onbeveiligd netwerk kan ook lokaas zijn om gegevens over uw computer los te peuteren. Immers, als u verbinding maakt met een onbeveiligd netwerk en uw netwerkinstellingen zijn mild ingesteld, dan kan er mogelijk informatie gestolen worden. Gelukkig waarschuwt Windows 7 u wel. Niet alleen middels het schildje, maar bijvoorbeeld ook met een melding als u wilt verbinden. U krijgt dan de tekst te zien **Gegevens die via dit netwerk worden verzonden zijn mogelijk zichtbaar voor anderen**.

Hoe dan ook, verbind niet met onbekende netwerken waar een geel schildje bij staat, maar verbind alleen met bekende netwerken. En verbind alleen de bekende netwerken die ook nog eens beveiligd zijn.

Draadloze netwerken beheren

Als uw computer draadloze mogelijkheden heeft, dan kunt u in het navigatiedeel van het netwerkcentrum op de optie **Draadloze netwerken beheren** klikken. U krijgt een nieuw venster waarin u de gewenste draadloze netwerken op kunt slaan. Het is gemakkelijk om een draadloos netwerk toe te voegen aan de lijst zodat er altijd automatisch verbinding mee wordt gemaakt. Dit toevoegen en automatisch verbinding maken kunt u doen door een vinkje te zetten voor **Automatisch verbinding maken**, zoals dat net is uitgelegd. Als u een laptop hebt en veel reist en mogelijk ook veel verbinding maakt met draadloze netwerken in hotels en op luchthavens, dan hebt u hier mogelijk een hele lijst met verbindingen staan.

Draadloos netwerk beheren.

Netwerkeigenschappen

Klik met uw rechtermuisknop op een netwerkverbinding. U krijgt een menu met meerdere mogelijkheden. Met behulp van dit menu kunt u de eigenschappen van een draadloos netwerk opvragen, het draadloze netwerk verwijderen, de naam ervan wijzigen, of omlaag plaatsen in de lijst. De eerste twee mogelijkheden zullen duidelijk zijn. Het laatste houdt in dat u het netwerk een lagere

De eigenschappen van het draadloze netwerk.

verbindingsprioriteit geeft. De computer probeert te verbinden met de draadloze netwerken op volgorde van de lijst. Het eerst zal er geprobeerd worden verbinding te maken met het bovenste netwerk in de lijst. Als dat niet lukt – omdat u bijvoorbeeld op reis bent en het bovenste netwerk is het thuisnetwerk – dan zal het volgende netwerk worden geprobeerd.

SSID niet uitzenden

Selecteer **Eigenschappen** om de eigenschappen van het netwerk op te vragen. U krijgt het eigenschappenscherm te zien voor de draadloze verbinding. Onderin ziet u doorgaans geen vinkje staan bij **Verbinding maken, zelfs wanneer het netwerk zijn naam (SSID) niet uitzendt**. Gewoonlijk zendt ieder draadloos netwerk om de zoveel tijd de SSID de ether in, ter herkenning dat het in de lucht is. Dat is ook de reden dat u de lijst met draadloze netwerken ziet.

U kunt ervoor kiezen om dit herkenningsbaken niet uit te zenden. Dat betekent niet dat het draadloze netwerk uit de ether is, maar alleen dat het verborgen is. U kunt dat instellen in het draadloze toegangspunt. Doet u dat, dan kunt u dus ook niet meer zomaar verbinding maken met het netwerk via het lijstje in het systeemvak – het netwerk zendt zijn naam immers niet uit. Het voordeel is dat anderen uw verbinding ook niet kunnen zien.

Geen SSID, toch verbinding

Om verbinding te maken gaat u naar het venster **Draadloze netwerken beheren** en klikt u op de knop **Toevoegen**. Vervolgens selecteert u **Handmatig een netwerkprofiel toevoegen**. Daarna voert u de gegevens van het netwerk in. Zet helemaal onderin een vinkje bij **Verbinding maken, zelfs wanneer het netwerk niet uitzendt**. Vergeet de waarschuwing die onder deze regel staat. Daarna doorloopt u de stappen van de wizard verder. Als het netwerk is toegevoegd, het netwerk in de lucht is en de gegevens juist zijn, dan zal Windows 7 verbinding maken.

Zelf een draadloos netwerk toevoegen.

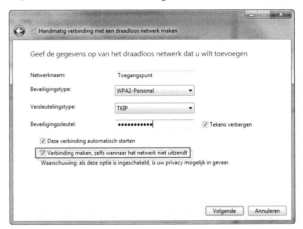

Voer de gegevens van uw draadloze netwerk in.

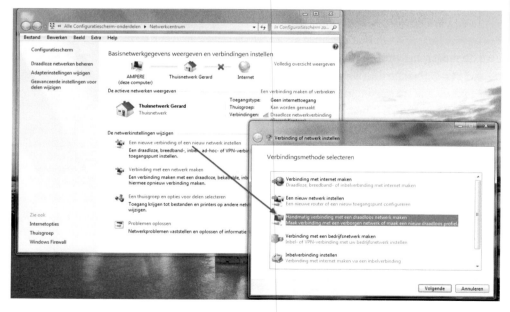

Tip **Zo kan het ook**

U kunt een draadloos netwerk ook toevoegen door in het **Netwerkcentrum** – in het kader **De netwerkinstellingen wijzigen** - te klikken op **Een nieuwe verbinding of een nieuw netwerk instellen**. Klik vervolgens op **Handmatig verbinding met een draadloos netwerk maken**. Dat zal hetzelfde venster openen zoals dat eerder al beschreven is. In het venster Verbinding of netwerk instellen kunt u overigens meer verbindingen instellen, zoals een VPN-verbinding met het bedrijfsnetwerk.

Zo kunt u ook een draadloos netwerk instellen.

Adapterinstellingen

U kunt in het navigatievenster van het Netwerkcentrum ook kiezen voor de mogelijkheid **Adapterinstellingen wijzigen**. Dat geeft u toegang tot geavanceerde functies van uw apparatuur. Als u hierop klikt, krijgt u de verbindingsmogelijkheden

De hardware in de computer.

te zien. Deze mogelijkheden corresponderen met de hardware die u in de computer hebt. Bijvoorbeeld, als u een laptop hebt, dan hebt u hier gewoonlijk twee verbindingen staan: een draadloze verbinding en een bekabelde verbinding. Die laatste correspondeert met

de ethernetpoort in uw computer: de aansluiting waar u de netwerkkabel indrukt op de laptop.

Als u met uw rechtermuisknop op de verbinding klikt en kiest voor **Eigenschappen**, dan komt u in het eigenschappenven-

---

Tip **Een eigen naam**

Geef de verschillende onderdelen een eigen naam. Klik met uw rechtermuisknop op een verbinding en kies voor naam wijzigen. Kies nu een geschikte naam, zoals LAN-verbinding (draadloos) of iets dergelijks. Natuurlijk, als u tevreden bent met de namen zoals ze zijn, dan hoeft u dit niet te doen. Het is maar dat u het weet.

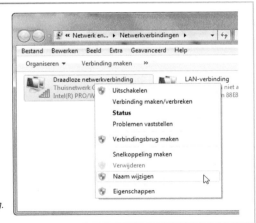

Wijzig de naam van de netwerkverbinding.

---

ster van de netwerkverbinding. Hier kunt u geavanceerde instellingen maken met betrekking tot uw netwerkverbinding. Het gaat te ver om uitvoeriger op deze zaken in te gaan.

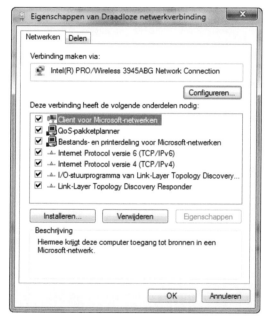

Geavanceerde eigenschappen van uw netwerkverbinding.

Tip **Verbinding delen**

Als u op het tabblad **Delen** klikt (dat niets heeft te maken met het delen van bestanden), dan kunt u aangeven of u de internetverbinding wilt delen met een andere computer. Ofwel, stel dat u verbinding maakt op uw laptop via een draadloos netwerk. Dan zou u deze verbinding kunnen delen. Doet u dat, dan kunt u via de ethernetpoort op de laptop – die toch niet gebruikt wordt – een andere computer kunnen aansluiten die dan ook gebruik kan maken van het internet. Handig voor in hotels: u kunt twee computers op hetzelfde netwerk aansluiten, maar u hoeft maar voor een verbinding te betalen.

Snel de internetverbinding delen.

Thuisgroep

Met een thuisgroep kunt u bestanden en printers delen met andere Windows 7-computers. Om preciezer te zijn: met een thuisgroep kunt u razendsnel bibliotheken en printers delen met andere Windows 7-computers binnen het hetzelfde netwerk. Thuisgroepen werken niet in bijvoorbeeld XP of Vista; u hebt hier Windows 7-computers voor nodig. Tevens is het belangrijk dat de klokken van de verschillende computers in het netwerk synchroon lopen. Klik daartoe op de tijd in het systeemvak en ga naar **Instellingen voor datum en tijd wijzigen**. Klik op het tabblad **Internettijd** en vervolgens op

Thuisgroep in het Configuratiescherm.

de knop **Instellingen wijzigen**. Zorg ervoor dat er een vinkje staat voor **Klok met een internettijdserver synchroniseren** en klik op de knop **Nu bijwerken**. Dat zorgt ervoor dat u de actuele tijd krijgt die dan ook up-to-date blijft. Sluit af door twee keer op **OK** te klikken. Voer deze acties op alle computers in het netwerk uit.

Thuisgroep verwijderen

In dit stuk wordt er vanuit gegaan dat er nog geen thuisgroepen zijn gemaakt, zodat er bij het begin begonnen kan worden. Hebt u er al een, dan kunt u die zonder problemen verwijderen. Klik in het Configuratiescherm op **Thuisgroep** om naar de thuisgroepconfiguratie te gaan. Klik op **Deze computer uit de thuisgroep verwijderen** om schoon te kunnen beginnen. U krijgt dan de melding **Er is momenteel geen thuisgroep in het netwerk beschikbaar**.

Eigen thuisgroep

Als u geen onderdeel bent van een thuisgroep en u klikt op Thuisgroep, dan geeft Windows 7 een overzichtsvenster met enkele opties. Onderin het overzichtsvenster treft u de knop **Een thuisgroep maken**. Klik hierop om een eigen thuisgroep te maken. U hoeft dit maar op één computer te doen. De andere computers in het netwerk zullen deze thuisgroep automatisch waarnemen, zodat u ermee kunt verbinden (stroomlijn wel uw netwerkinstellingen). Als u op de knop hebt geklikt, krijgt u een overzichtsvenster met de onderdelen die u wilt delen: Afbeeldingen, Muziek, Video's,

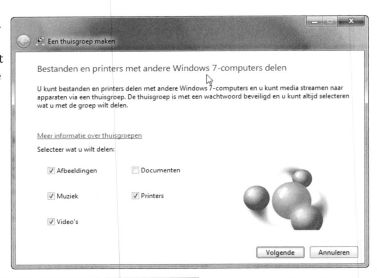

▲ Selecteer welke onderdelen u wilt delen in de thuisgroep.

Documenten en Printers. Standaard staat alles aan, behalve Documenten.

Wachtwoord
Als u iedereen helemaal vertrouwt, dan kunt u ook documenten aanklikken. Klik vervolgens op **Vol-**

Het wachtwoord van de thuisgroep.

Tip **Wachtwoord veranderen**	Als u het wachtwoord voor de thuisgroep wijzigt, wordt de verbinding met elke computer verbroken

Tip **Wachtwoord veranderen**
Mocht u het wachtwoord voor de thuisgroep willen wijzigen, klik dan op **Het wachtwoord wijzigen**. Wilt u het huidige wachtwoord inzien, klik dan op **Het wachtwoord voor de thuisgroep weergeven en afdrukken**.

> Als u het wachtwoord voor de thuisgroep wijzigt, wordt de verbinding met elke computer verbroken
>
> ⚠ Zorg ervoor dat alle computers in de thuisgroep zijn ingeschakeld en zich niet in de slaap- of sluimerstand bevinden. Nadat u het wachtwoord hebt gewijzigd, moet u meteen op elke computer in de thuisgroep het nieuwe wachtwoord opgeven.
>
> → Het wachtwoord wijzigen
>
> → Het wachtwoord niet wijzigen

Wijzig het wachtwoord.

gende om het delen te starten. U krijgt nu een wachtwoord gepresenteerd, waarvan het goed is dat u het ergens noteert. Of klik op **Wachtwoord en instructies afdrukken** om het een en ander uit te printen. Klik op **Voltooien** om af te sluiten. U hebt nu een thuisgroep gemaakt. Andere Windows 7-computers op het netwerk zullen deze thuisgroep nu detecteren. Na het invoeren van het wachtwoord kunnen die computers de gedeelde onderdelen zien.

Detectie thuisgroep

Als u nu op een andere computer in het Configuratiescherm

Er is een thuisgroep gedetecteerd.

naar Thuisgroep gaat en alles is in orde, dan zal er worden aangegeven dat er een thuisgroep is gedetecteerd. Klik op **Nu lid worden** om onderdeel te worden van deze

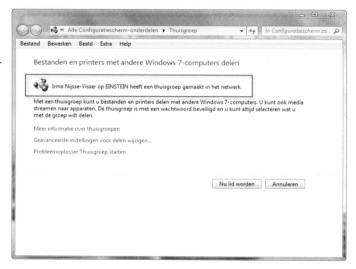

De thuisgroep wordt in de Verkenner weergegeven.

thuisgroep. Eerst moet u echter aangeven welke bestanden en printers er op de andere computer moeten worden gedeeld. U kunt bijvoorbeeld overwegen om op de andere computer alleen printers te delen. Als u uw keuze hebt aangegeven, kunt u op **Volgende** klikken. Nu moet u het wachtwoord invoeren van de thuisgroep. Dat is het wachtwoord dat u net hebt opgeschreven, of uitgeprint.

Verkenner

Als u de Verkenner start en u klikt op **Thuisgroep** in het navigatievenster, dat ziet u de persoon staan die de thuisgroep heeft gemaakt met tussen haakjes de computernaam. Verder treft u in het overzichtsvenster de bibliotheken die zijn gedeeld. U kunt dus nu over het netwerk de bibliotheken raadplegen. Hartstikke handig. Het zou natuurlijk kunnen dat u wijzigingen wilt aanbrengen en dat u de map bibliotheken niet wilt delen met de tweede pc. Ga daartoe op de hoofdcomputer naar Thuisgroep en haal het vinkje weg voor de bibliotheek die u niet wilt delen. Klik daarna op **Bewaren**. Als u vervolgens met uw rechtermuisknop op de bibliotheek klikt in de Verkenner, dan zult u zien dat Gedeeld ook uitstaat onderin het eigenschappenvenster.

Andere bibliotheken

Prachtig natuurlijk dat u bibliotheken zo mooi kunt delen, maar wat nu als u meerdere bibliotheken hebt. Die staan niet in het lijst voor Thuisgroep. Geen nood, ook die kunt u delen. Klik in de Verkenner met uw rechtermuisknop op de nieuwe bibliotheek die u

wilt delen. Klik ver-
volgens op **Delen met**
en geef aan hoe u de
bibliotheek wilt delen.

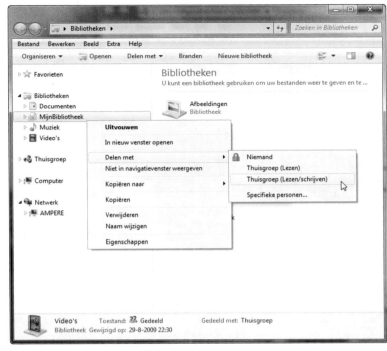

Zo kunt u uw eigen bibliotheken delen.

FILMS EN MUZIEK DELEN

S tonden de eerdere thema's op zichzelf, dit thema is nauw verbonden met het vorige. In dit thema worden de onderwerpen streaming en connectiviteit behandeld.

Streaming betekent het verzenden van audio en video binnen uw netwerk, zoals mp3-bestanden en avi-bestanden (ook wel: mediabestanden). Normaal moet een bestand eerst worden gedownload om het af te kunnen spelen. Bij streaming hoeft dat niet, maar wordt het direct afgespeeld. Een praktisch voorbeeld is het streamen van een film van de pc op zolder naar de pc in de woonkamer, zodat u de film op de televisie in de woonkamer kunt bekijken. Dat kan van pas komen als u bijvoorbeeld een dvd-speler in de computer op zolder hebt en geen dvd-speler in de woonkamer. Een ander voorbeeld is dat u de muziek van beneden op de computer boven laat afspelen, omdat u daar een set goede luidsprekers hebt. Het streamen gaat op basis van de Windows Mediaspeler. In dit thema wordt bovendien bekeken hoe gemakkelijk het is om een Xbox 360 in het netwerk op te nemen.

Connectiviteit is een verzamelterm voor verbindingsmogelijkheden met andere apparaten, zoals telefoons, draadloze apparaten, printers en faxapparaten. Dat wordt in dit thema kort aangestipt.

In dit thema wordt ervan uitgegaan dat Windows 7 op alle computers in het netwerk is geïnstalleerd. Niet omdat streaming van een Windows 7-computer naar een Vista-computer niet werkt, maar enkel om de tekst te beperken.

Streaming

Voordat u begint is het goed om de netwerkinstellingen te stroomlijnen, zoals dat in het vorige thema is behandeld. Let er ook op dat de klokken op de verschillende computers synchroon lopen, anders kan het zijn dat de thuisgroep niet goed werkt. Ook dat is in het vorige thema aan bod gekomen.

Thuisgroep
Binnen een thuisgroep is streaming een fluitje van een cent. Een vereiste is dat u een

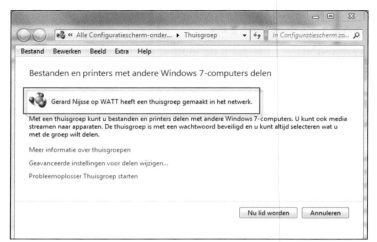

Zorg ervoor dat er een thuisgroep actief is.

thuisgroep hebt die naar behoren functioneert. In het vorige thema hebt u kunnen lezen hoe u een thuisgroep kunt opzetten en een computer lid moet maken van een thuisgroep.

Computers activeren

Om mediabestanden op een pc te delen (zodat u ze op een andere pc kunt bekijken), doet u het volgende. Ga naar het Configuratiescherm en open **Thuisgroep**. Zet nu een vinkje voor **Mijn afbeeldingen, muziek en video's naar alle apparaten op mijn thuisnetwerk streamen**. Als u van alle computers

naar alle computers wilt streamen, dan moet u dit vinkje op alle computers zetten. Als er maar één computer in de thuisgroep is met mediabestanden en u wilt met de andere computers alleen bestanden op die pc lezen, dan hoeft u dit vinkje alleen maar te zetten op de computer waar de bestanden op staan. Gewoonlijk zet u het vinkje echter op alle computers. U hebt dan op iedere computer toegang tot de mediabestanden op de andere computer. Als u dit vinkje hebt gezet, dan hebben alle computers in de thuisgroep toegang met standaardinstellingen.

Opties voor mediastreaming

Als u onder de tekst **Mijn afbeeldingen, muziek en video's naar alle apparaten op het netwerk streamen** klikt op **Opties voor mediastreaming selecteren**, krijgt u een venster waar u geavanceerde instellingen in kunt maken; u kunt uw mediabibliotheek bijvoorbeeld een naam geven. Standaard is dat uw gebruikersnaam, maar u zou dat kunnen wijzigen in 'Bibliotheek op zolder', om maar eens wat te noemen. Deze naam is ook weer zichtbaar in de Mediaspeler later. Het is aan te raden hier een gepaste naam te geven, zodat u straks de verschillende bibliotheken goed uit elkaar kunt houden. Door op de tekst **Standaardinstellingen selecteren** te klikken (onder de tekst **Geef uw mediabibliotheek een naam**), kunt u instellingen selecteren die standaard worden toegepast. Normaal hoeft u hier verder niets aan te doen en kunt u het laten staan zoals het staat. Klik op **OK** om af te sluiten.

Vervolgens kunt u in het lijstje eronder specifiek aangeven welke computers toegang mogen krijgen tot de media. Omdat u een vinkje hebt gezet voor **Mijn afbeeldingen, muziek en video's naar alle apparaten**

op mijn thuisnetwerk streamen hebben *alle* computers toegang, maar dat zou u hier kunnen wijzigen. Achter de tekst **Apparaten weergeven in:** treft u een rolmenu met daarin de opties Lokaal netwerk en Alle netwerken. Kies **Alle netwerken** zodat u er zeker van bent dat u alle apparaten ziet. Met de knoppen Alles toestaan en Alles blokkeren bovenin kunt u alle computers en apparaten toegang geven, of toegang ontzeggen.

Lijst met apparaten

Door op een computer of apparaat te klikken, kunt u aanpassingen maken. In het kader treft u voor bijna alle apparaten de tekst Aanpassen en Verwijderen. Als u op **Aanpassen** klikt, dan kunt u de standaardinstellingen wijzigen. Klikt u op **Verwijderen**, dan verwijdert u het apparaat uit de lijst. Daarvoor moet het wel offline zijn (uitstaan bijvoorbeeld). Tevens treft u rechts bij ieder apparaat de knoppen Toegestaan of Geblokkeerd. Daarmee kunt u al dan niet een blokkade aan dat specifieke apparaat toekennen. Als u kiest voor **Geblokkeerd**, dan wordt ook direct het vinkje weggehaald voor de optie **Mijn afbeeldingen, muziek en video's**

Standaardinstellingen voor streaming.

naar alle apparaten op mijn thuisnetwerk streamen. Logisch, want niet alle apparaten hebben toegang meer; u hebt net een apparaat de toegang ontzegd.

Ontzeg een bepaald apparaat de toegang.

Tip   **Meer hulp?**

Bent u de draad kwijt en wilt u meer hulp, klik dan onderin het venster **Opties voor mediastreaming** op **Meer informatie over mediastreaming**. Het helpvenster zal worden getoond met heldere tekst en uitleg over het streamen ven media.

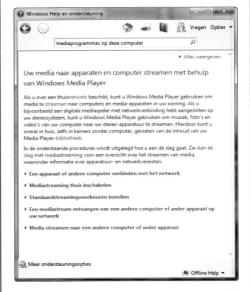

Raadpleeg de helpbestanden als u er niet uitkomt.

Computers die toegang hebben

Als u op alle computers binnen de thuisgroep hebt aangegeven dat u media wilt delen, dan hebt u op iedere pc toegang tot de media op een andere pc. Als u de Verkenner start en op Netwerk klikt, dan ziet u de computers in het netwerk en de multimedia-apparaten.

Het pictogram met de filmstrip en de muzieknoot geeft aan dat het een multimedia-apparaat is. Hebt u op een computer ook de Mediaspeler gestart, dan komt er een pictogram bij met een groen Afspelenknopje.

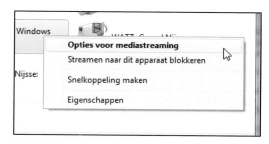

Opties voor mediastreaming.

Dit is ook een media-apparaat. U kunt op dit pictogram klikken met uw rechtermuisknop en dan **Opties voor mediastreaming** selecteren. Het venster Opties voor mediastreaming wordt geopend, zodat u uw instellingen kunt aanpassen. U kunt ook met uw rechtersmuisknop op het pictogram met de filmstrip en de muzieknoot klikken om de Mediaspeler te starten of eigenschappen op te vragen, om maar eens wat te noemen.

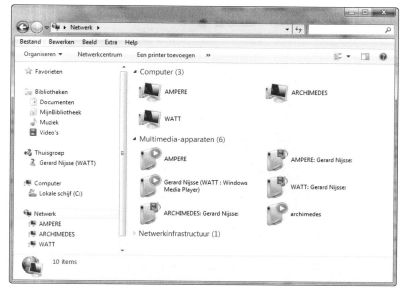

De gedetecteerde apparaten.

Mediaspeler

Als u de Mediaspeler op deze manier start, kunt u links in het scherm klikken op de bibliotheek die u wilt openen. Als u de Mediaspeler start is dat ook weer direct zichtbaar in de netwerkomgeving. Er komt een pictogram bij met een groen afspeelknopje. Klik op het pijltje naast de bibliotheek die u wilt openen. Door nu in de Mediaspeler links te klikken op **Muziek**, **Video's**, **Afbeeldingen** of **TV-opnamen**, kunt u de mediabestanden openen die u wilt

zien. Verwar deze bibliotheek niet met de bibliotheken zoals die in het tweede thema zijn behandeld. Deze bibliotheek verwijst naar de openbare bestanden op de pc. Ofwel, als u bijvoorbeeld op **Afbeeldingen** klikt, dan krijgt u de bestanden te zien die in de andere computer op C:\Users\ Public\Pictures staan.

Dat zal allemaal duidelijk zijn. Zo eenvoudig is het om bestanden te streamen. U kunt nu naar hartenlust afbeeldingen, audio en video delen.

Open de bibliotheek in de Mediaspeler.

Xbox 360 verbinden

Veel mensen hebben een Xbox 360-console. Met Windows 7 is het een fluitje van een cent om de Xbox 360 op te nemen in het thuisnetwerk en deze te gebruiken als zogenaamde Media Center Extender. Vrij vertaald: een verlengstuk van de computer. Dat betekent dat de Xbox 360 contact legt met de Windows 7-computer waar Windows Media Center op staat. U krijgt dan op de TV via de Xbox 360 de gebruikersinterface van Windows Media Center te zien. Ook zonder Windows Media Center kunt u de Xbox 360 gebruiken binnen het netwerk. U kunt namelijk bestanden bekijken op de computer die de bestanden deelt.

De console instellen

In ons geval zijn de instellingen gedaan op basis van een Xbox 360 die draadloos is verbonden met het thuisnetwerk. De Xbox staat beneden in de woonkamer. De computer met Windows 7 staat boven, ook deze is draadloos verbonden met het netwerk. Er moet direct bij vermeld worden dat deze manier van verbinden de snelheid niet ten goede komt. Het is verstandig in elk geval

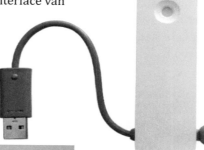

één apparaat via de kabel aan te sluiten, als dat mogelijk is. Het liefst natuurlijk allebei, dan hebt u de beste prestatie.

Hebt u de Xbox 360 via een kabel verbonden en wilt u deze draadloos

Draadloos apparaat voor de Xbox 360

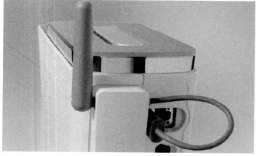

Het draadloze apparaat geïnstalleerd.

gebruiken, dan kunt u daar een apart apparaat voor kopen dat u in de USB-poort van de Xbox 360 kunt steken. Let op: u kunt geen gewone draadloze USB-apparaten voor de Xbox 360 gebruiken. Die verlangen namelijk een stuurprogramma en dat kunt u niet installeren op de Xbox 360.

Netwerkinstellingen maken

Uit de beschikbare talen op de Xbox 360, is hier het Engels geselecteerd. Start de Xbox 360 en zorg ervoor dat uw netwerkverbinding actief is en goed werkt. Hebt u nog geen netwerkverbinding, dan kunt u die instellen. Ga daarvoor naar **My Xbox > System Settings > Network Settings > Configure Network**. Als u een bekabelde verbinding hebt met de Xbox, dan hoeft u over het algemeen niets te doen. De Xbox krijgt dan gewoonlijk de juiste instellingen van het apparaat waar het op aangesloten wordt. U hoeft dus hier alleen dingen in te stellen als u een draadloze verbinding hebt.

Media Center verbinden

Ga op de Xbox 360 naar **My Xbox > Windows Media Center** en activeer dit om de wizard te starten. Volg de stappen van de wizard tot u een uniek nummer van acht cijfers te zien krijgt, bijvoorbeeld 1774-1866. Noteer dit nummer. Klik vervolgens weer op **Continue**. Daarna krijgt u een melding dat u naar een internetsite moet om de installatie af te ronden. Dat kunt u laten zitten, dat is niet nodig.

Start nu Windows Media Center op de pc met Windows 7 door te gaan naar **Start > Alle programma's > Windows Media Center**. Het besturingssysteem zal automa-

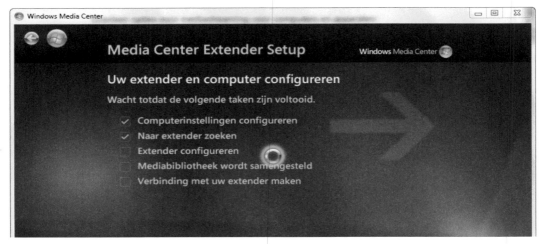

De extender wordt geïnstalleerd.

rond is, krijgt u Windows Media Center te zien op de Xbox 360. U kunt Windows Media Center op de Windows 7-machine na de installatie sluiten. Het hoeft niet aan te staan. Sluit nu ook Windows Media Center op de Xbox af.

De Xbox 360 wordt ook zichtbaar bij de apparaten voor streaming.

tisch detecteren dat u een Xbox 360 in het netwerk hebt aangesloten en zal u vragen of de extender geïnstalleerd moet worden. Doe dat en volg de stappen van de wizard. Op een gegeven ogenblik wordt u gevraagd om de code in te voeren die u door de Xbox is toegekend. Als u dat doet, wordt er verbinding gemaakt. Het scherm van de Xbox zal dan ook direct veranderen. Als de installatie

Problemen?

Ga in Windows Media Center naar **Taken** > **Instellingen** > **Extender** en klik op het plaatje van de Xbox 360 om opties te zien. Klik op **Opnieuw configureren** als u problemen ervaart met de verbinding. Soms moet u de wizard op de Windows 7-computer namelijk opnieuw uitvoeren (samen met de wizard op de Xbox 360), omdat er dan geen verbinding kan worden gemaakt.

Zonder Media Center

U kunt ook mediabestanden delen die zijn opgeslagen in de Openbare mappen op de Windows 7-computer. Op de Xbox 360 kunt u die benaderen door te gaan naar **My Xbox**. Zorg er dan wel voor dat u streaming aan hebt staan. Ga daartoe op de Windows 7-computer naar **Start > Configuratiescherm > Netwerkcentrum > Geavanceerde instellingen voor delen wijzigen** en klik in het vak **Mediastreaming** op **Opties voor mediastreaming** selecteren. Als het goed is, staat de Xbox 360 hier nu tussen. Zet de streaming voor het apparaat aan door in het rolmenu te klikken op **Toegestaan**. Als u klaar bent, klikt u op **OK**. Daarna worden de media in de openbare mappen gedeeld met de Xbox.

Opties voor mediastreaming.

Connectiviteit

Als u een apparaat met Windows 7 verbindt, dan zal het besturingssysteem direct proberen om de juiste stuurprogramma's te installeren om zo het apparaat goed te laten functioneren. Ook zult u gewoonlijk een venster te zien krijgen met mogelijkheden die u kunt uitvoeren. Tenminste, als de stuurprogramma's konden worden geïnstalleerd.

Als u gaat naar **Start > Configuratiescherm > Apparaten en printers**, dan ziet u een overzicht van de apparaten die zijn verbonden. De pictogrammen in dit scherm zijn van hoge resolutie. U kunt met uw rechtermuisknop op een apparaat klikken voor een menu. Ook de computer zelf staat vermeld; die kunt u ook aanklikken. Als u met de rechtermuisknop klikt, krijgt u verschillende mogelijkheden, waaronder **Geluidsinstellingen**, **Netwerkinstellingen** en **Muisinstellingen**. Maar ook **Automatisch afspelen** en **Door bestanden bladeren**. Met dat laatste start u de Verkenner in bijvoorbeeld de root van de C-schijf, of in de root van uw optische schijf.

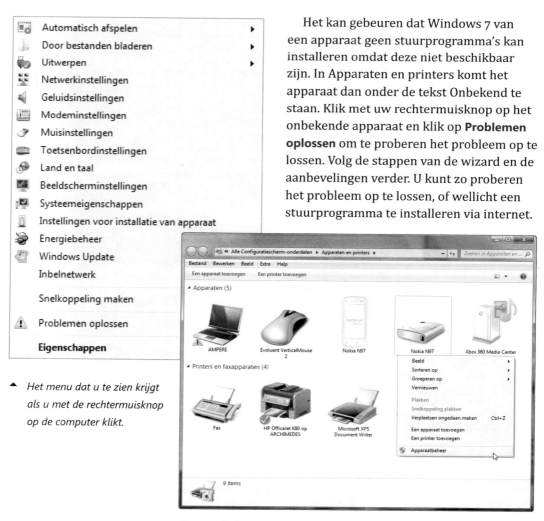

	Automatisch afspelen	▶
	Door bestanden bladeren	▶
	Uitwerpen	▶
	Netwerkinstellingen	
	Geluidsinstellingen	
	Modeminstellingen	
	Muisinstellingen	
	Toetsenbordinstellingen	
	Land en taal	
	Beeldscherminstellingen	
	Systeemeigenschappen	
	Instellingen voor installatie van apparaat	
	Energiebeheer	
	Windows Update	
	Inbelnetwerk	
	Snelkoppeling maken	
	Problemen oplossen	
	Eigenschappen	

▲ *Het menu dat u te zien krijgt als u met de rechtermuisknop op de computer klikt.*

Het kan gebeuren dat Windows 7 van een apparaat geen stuurprogramma's kan installeren omdat deze niet beschikbaar zijn. In Apparaten en printers komt het apparaat dan onder de tekst Onbekend te staan. Klik met uw rechtermuisknop op het onbekende apparaat en klik op **Problemen oplossen** om te proberen het probleem op te lossen. Volg de stappen van de wizard en de aanbevelingen verder. U kunt zo proberen het probleem op te lossen, of wellicht een stuurprogramma te installeren via internet.

Apparaatbeheer.

PROGRAMMA'S

Na het bestuderen van de eerdere thema's, bent u aardig thuis in Windows 7 en haar mogelijkheden. Natuurlijk zijn er altijd nog nieuwe dingen te ontdekken, maar met de opgedane kennis kunt u zich prima redden met Windows 7. Sterker nog, daar er redelijk wat parallellen zijn met Vista, zult u ook daar beter mee uit de voeten kunnen.

Na de bouw van dit fundament rest er nog één belangrijk onderwerp: nieuwe software in Windows 7. Van een aantal programma's zijn er nieuwe versies opgenomen, zoals de Mediaspeler, Paint en Windows Media Center. Sommige programma's hebben grotere updates gehad, andere kleinere. Het is interessant om een aantal programma's de revue te laten passeren. Houd er rekening mee dat dit slechts een kleine greep is.

Windows-onderdelen

Als u in het Configuratiescherm gaat naar **Programma's en onderdelen** en u klikt links op **Windows-onderdelen in- of uitschakelen**, dan krijgt u een lijst met mogelijkheden van standaard Windows-software die al dan niet is geïnstalleerd. Wilt u een programma verwijderen, haal het vinkje dan weg voor een betreffend onderdeel. Wilt u een programma toevoegen, zet dan een vinkje. Klik vervolgens op **OK** en volg de stappen van de wizard verder.

Standaard is niet alles geactiveerd. Het loont de moeite om hier even doorheen te lopen, om te zien of er nog iets van uw gading tussenzit. Mogelijkheden met een plusje naast het onderdeel, kunt u uitklappen voor nog meer onderdelen.

Het is in Windows 7 mogelijk om Internet Explorer van uw systeem te verwijderen. Mocht u een andere browser fijner vinden en Internet Explorer toch niet gebruiken, dan kunt u het programma hier weghalen. Overigens, de meest recente versie van Internet Explorer 8 die met Windows 7 wordt geleverd is versie 8.0.7600. Dat is een nieuwe versie met hier en daar wat extra mogelijkheden ten opzicht van de versie die vrij te downloaden is bij Microsoft.

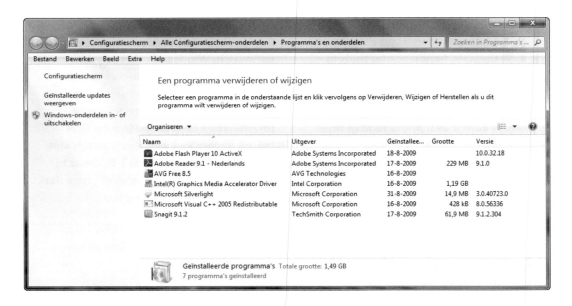

Programma's en onderdelen in het Configuratiescherm.

Windows-onderdelen toevoegen of verwijderen.

Verbinding met extern bureaublad

Eén van de verbeterde programma's in Windows 7 is het programma om verbinding te maken met een extern bureaublad. U kunt het programma vinden door te gaan naar **Start** > **Alle programma's** > **Bureau-accessoires** > **Verbinding met extern bureaublad**.

Verbinding met een extern bureaublad.

Extern verbinding maken

U kunt het programma gebruiken om verbinding te maken met het bureaublad van de ene computer via een andere computer. Dat kan binnen een thuisnetwerk, maar ook via het internet. Als de snelheid van uw (internet)verbinding en uw instellingen dat toelaten, dan krijgt u op uw computer het bureaublad van de andere computer te zien, alsof u direct achter die pc zou zitten. U moet daarvoor wel de computernaam of het netwerkadres weten van de pc waar u op in wilt loggen. Als u in wilt loggen op een computer binnen uw thuisnetwerk, dan weet u de computernaam, daar u die eerder hebt ingesteld. Als u via internet verbinding wilt maken met uw computer, dan ligt het anders. Dan moet u op zoek naar de naam (ofwel het ip-adres) van uw computer. Surf naar **www.ip-adress.com** om uw ip-adres te weten te komen. Maar let op! De instellingen in uw netwerk moeten het toelaten om via internet verbinding te maken en dat kan lastig instellen zijn. De computer waar u op in wilt loggen moet bovendien de server aan boord hebben, zoals de Ultimate-versie.

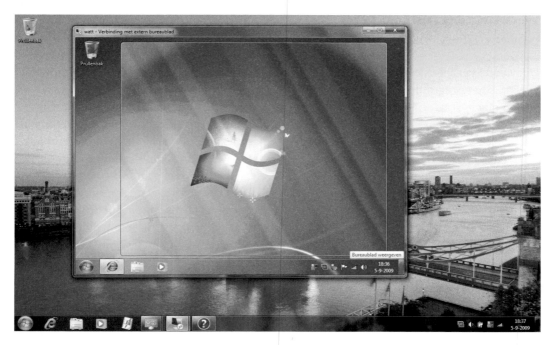

U krijgt het bureaublad te zien met Aero-bureaubladbelevenis.

Server

U kunt de server in Windows 7 activeren door in het Configuratiescherm te gaan naar **Systeem** > **Instellingen voor externe verbindingen** (links). Zet vervolgens in het vak **Extern bureaublad** een vinkje bij **Verbindingen met computers toestaan, ongeacht de versie van extern bureaublad**. Met deze optie kunt u ook verbinding maken met andere versies

van het programma Verbinding met extern bureaublad. De veiligste optie is echter **Alleen verbindingen toestaan met computers met Extern bureaublad met verificatie op netwerkniveau**, maar dan zullen bepaalde versies mogelijk geen verbinding kunnen maken.

Met de knop **Gebruikers selecteren** kunt u aangeven wie er toegang tot uw compu-

Zet de server aan.

ter mag krijgen. Standaard hebt u zelf al toegang. Als u dat gedaan hebt, kunt u via een andere computer eenvoudig verbinding maken. Tot zover de server, terug naar het programma (ook wel de client geheten).

Nieuwe onderdelen in de client
Nieuw is dat de Aero-bureaubladbelevenis wordt ondersteund. Als u met een oudere versie van het programma verbinding maakt met een Windows 7-computer, dan

wordt Windows Aero uitgeschakeld. Alles ziet er dan minder mooi uit. Verder zijn er verbeteringen aan het protocol gemaakt, waarmee de verbinding soepeler lijkt te lopen. Ook goed is de ondersteuning voor meerdere monitoren. In de nieuwe versie kunt u het bureaublad direct vanuit het programma uitbreiden over meerdere monitoren. Tot slot zijn de audio- en video-ondersteuning verbeterd (u kunt de audio en video van de externe computer naar de lokale computer verzenden).

Windows Mediaspeler 12

Windows 7 wordt geleverd met Windows Mediaspeler 12. Hoewel de gebruikers-interface niet ingrijpend is veranderd ten opzichte van versie 11, zijn er wel wat aanpassingen gemaakt. Opvallend is dat de knoppen Nu afspelen, om een overzicht van de items die worden afgespeeld te krijgen, Branden, om een schijf te branden en Syn-chroniseren, om bestanden met een extern apparaat te delen, zijn verdwenen. In plaats daarvan zijn er aan de rechterkant van de Mediaspeler drie overzichtelijke tabbladen bijgekomen: Afspelen, Branden en Synchro-niseren. Verder zijn er drie nieuwe knoppen

De vernieuwde Windows Mediaspeler.

zichtbaar: Organiseren, om bijvoorbeeld bibliotheken te beheren en de indeling aan te passen, Streamen, om de streaminginstellingen te veranderen en Afspeellijst maken.

Codec

Een algemeen probleem met mediaspelers is dat ze een bepaald bestand niet kunnen

afspelen, omdat de juiste codec niet op de computer staat. Codec is een afkorting voor codeer-decodeer: zie het maar als software die ervoor zorgt dat het bewuste bestand echt afgespeeld kan worden. Mediaspeler probeert dit op te lossen door te detecteren welke codecs er nodig zijn. Daarna zal het programma de juiste locatie proberen aan te bieden om de codec te downloaden. Toch kan dat downloaden nog steeds onhan-

De Jump List in de Mediaspeler.

Druk op Afspelen in de miniatuurweergave.

dig zijn als u even snel een videootje wilt afspelen. Daarom heeft Windows Mediaspeler ondersteuning voor meer codecs dan voorheen, waaronder Xvid en Divx. Met deze codecs is de Mediaspeler in staat om de meeste bestanden zonder problemen af te spelen. Uiteraard ondersteunt Mediaspeler 12 ook Jump Lists. En als u de miniatuurweergaven bekijkt vanuit de taakbalk, dan hebt ook nu ook een aantal knoppen tot uw beschikking, zoals pauze en afspelen.

Met Windows Mediaspeler 11 kon u al door bibliotheken browsen, maar met Mediaspeler 12 is dit verbeterd. U kunt nu ook door iTunes-bibliotheken scrollen.

WordPad

WordPad is een soort uitgeklede versie van Word (dat in het Office-pakket zit). WordPad heeft voor het eerst de nieuwe gebruikersinterface met het zogenaamde scenic ribbon of lint. U weet wel, die strook bovenin met de verschillende tabbladen waarmee u instellingen kunt maken. Microsoft heeft het lint destijds geïntroduceerd in Office om de vele instellingen die te maken zijn in het pakket, meer onder de aandacht te brengen. Microsoft kreeg regelmatig verzoeken om bepaalde functionaliteit in Office te bouwen die er allang in zat. Gebruikers konden de functies alleen niet vinden. Het lint zou dat moeten oplossen.

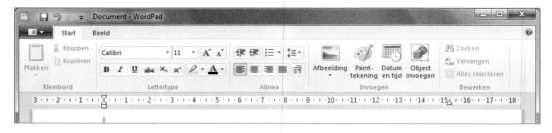

WordPad in Windows 7.

WordPad ondersteunt nu het OpenDocument-bestandsformaat van OpenOffice en het nieuwe bestandsformaat van Office 2007. Word-documenten die u dus eerst niet zomaar kon openen, kunt u nu zonder problemen bekijken. U kunt bestanden ook opslaan in dit formaat, maar de mogelijkheden zijn beperkt. Als u links bovenin op het donkerblauwe pijltje in WordPad klikt en kiest voor **Opslaan als**, dan kunt u de tekst in de gewenste formaten opslaan.

Verder is het bewerken van tekst gemakkelijker geworden, evenals het invoegen van afbeeldingen. Hoewel er nog steeds geen spellingscontrole in het programma zit, zijn er wel knoppen om snel in en uit te zoomen en hebt u prima mogelijkheden om een pagina op te maken.

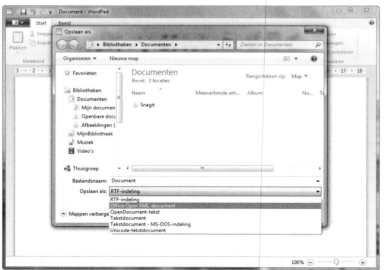

Documenten opslaan in WordPad.

Paint

Net als WordPad heeft ook Paint een make-over gehad. Ook Paint heeft nu het lint. Hoewel dit lint maar twee tabbladen heeft is het een forse verandering voor Paint. Door het lint ziet het er niet alleen beter uit, maar is het ook gemakkelijker om te gebruiken.

Met de nieuwe Paint kunt u snel afbeeldingen roteren en kiezen uit een palet aan kwasten. Voor basisbewerkingen hoeft u geen ander programma meer te installeren. En was de selectie van vormen in de oude versie nog beperkt, de nieuwe Paint heeft

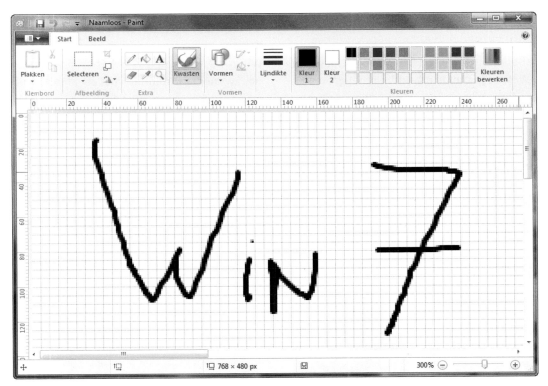

Paint in Windows 7.

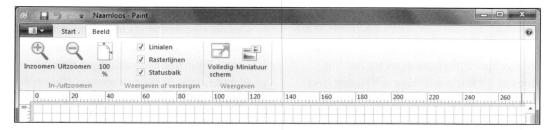

Het tabblad Beeld in Paint.

een heel scala aan vormen aan boord. In het tabblad Beeld kunt u kiezen voor **Linialen** > **Rasterlijn** om de afbeelding met grotere precisie te bewerken. Direct daarnaast zit de knop Volledig scherm om de afbeelding schermvullend te maken. Jammer is wel dat de ondersteuning voor bestandsformaten nog steeds beperkt is. Al met al een prima basisprogramma.

Windows Media Center

Windows Media Center is het programma om uw mediabestanden snel en gemakkelijk op bijvoorbeeld uw TV af te spelen, of om bijvoorbeeld naar live TV te kijken via internet of via een apparaat in uw computer.

De nieuwe versie in Windows 7 heeft behoorlijke verbeteringen doorgemaakt. Direct al na het starten valt het op: de menu's zijn prettiger, de tekst is groter en de pictogrammen zijn nog beter leesbaar. Goed is ook dat als u het programma eindigt in een bepaalde menuoptie, u bij het opnieuw starten van het programma precies die optie weer terugkrijgt.

Het pictogram voor Nu afspelen is beter zichtbaar en de titel van wat er wordt afgespeeld staat nu netjes onder het pictogram in plaats van erin. Ook handig is dat de schuifbalk die de positie van het beeld aangeeft nu aan te klikken is en te verschuiven.

U kunt nu dus door een uitzending heen schuiven en naar een later of eerder tijdstip gaan.

De weergave van verschillende bibliotheken is een stuk beter geworden en met de snelle scroll-mogelijkheden kunt u vlot door de verschillende bestanden scrollen.

▲ *Windows Media Center in Windows 7.*

▼ *Bestanden afspelen in Media Center.*

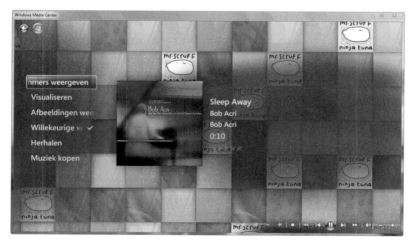

Windows XP Modus voor Windows 7

Mochten er nu programma's zijn die het niet doen onder Windows 7, dan kunt u besluiten om deze programma's op te starten in Windows XP Modus. U moet zich voorstellen dat u Windows XP daarmee opstart in Windows 7. Deze XP Modus is een soort virtuele omgeving die alleen werkt voor de versies Professional en Ultimate van Windows 7.

De hardware moet het ondersteunen

Het is noodzakelijk dat uw hardware dit ondersteunt. U hebt er een processor voor nodig met Intel Virtualisatie-technologie, of een processor met AMD-v-technologie. Dat kunt u het beste controleren door de handleiding van uw hardware erop na te slaan. Als uw hardware het ondersteunt, dan nog bent u er niet. De technologie kan namelijk ook uitstaan. Mocht dat zo zijn, dan kunt u het (waarschijnlijk) aanzetten in het BIOS. Waarschijnlijk, omdat het soms geblokkeerd is door de computerfabrikant, wat de reden ook mag zijn. Om te weten of de ondersteuning van XP Modus aanstaat, hebt u weer de handleiding van uw moederbord nodig.

Op de website van Microsoft vindt u hoe

Virtualisatie is mogelijk, maar staat uit.

u te weten moet komen of de ondersteuning aanstaat en zo niet, hoe u deze eventueel aan kunt zetten. U vindt hier ook koppelingen naar software op de website van Intel en AMD, die controleert voor u of uw computer het ondersteunt (het aanzetten moet u nog steeds zelf doen).

BIOS

BIOS staat voor basic input output system en is software die is opgeslagen in een chip. Deze in de chip opgeslagen software zorgt ervoor dat uw computer kan starten. Als uw computer aanstaat, dan kan de processor informatie uit het geheugen lezen om bewerkingen uit te voeren. Als de computer aan wordt gezet is het geheugen leeg en weet de processor niet wat hij moet doen om de computer op te starten. Het BIOS bevat informatie die nodig is om de computer aan te sturen zonder programma's van een schijf te lezen. Het zorgt ervoor dat de processor de juiste instructies krijgt en dat de computer opgestart kan worden.

Windows Virtual PC
Om de virtuele omgeving te krijgen hebt u allereerst het programma Windows Virtual

PC nodig. Dat is het programma in Windows 7 dat de nieuwe omgeving maakt. Verder hebt u Windows XP Modus nodig. Beide onderdelen kunt u downloaden van de internetsite van Microsoft (www.microsoft. com/windows/virtual-pc/download.aspx). Als u beide onderdelen hebt gedownload en geïnstalleerd kunt u aan de slag. U kunt nu Windows XP starten in Windows 7 en uw XP-programma's installeren. Let op. U hebt hier wel een vlotte computer voor nodig en flink wat geheugen. 2 GB geheugen is zeker aan te bevelen.

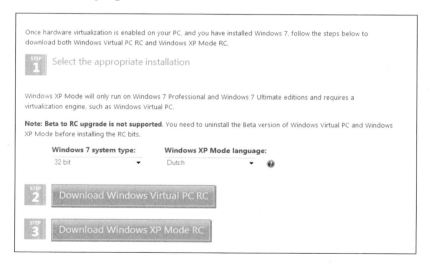

Download de software bij Microsoft.

Register

NIEUWENDAM